La corne de brume

Du même auteur

L'illusionniste suivi de *Le guetteur*, contes et poèmes, Écrits des Forges, 1973

L'emmitouflé, roman, Seuil, 1982 (édition définitive en format de poche)

Le bonhomme Sept-Heures, roman, Leméac, et Robert Laffont, 1978

Les fils de la liberté I – Le canard de bois, roman, Boréal, et Seuil, 1981

Les fils de la liberté II – La corne de brume, roman, Boréal et Seuil, 1982

Racontages, récits, Boréal, 1983

Au fond des mers, conte pour enfants, Boréal, 1987

Louis Caron

Les fils de la liberté II

La corne de brume

roman

Boréal

Illustration de la couverture: Monique Chaussé

Dépôt légal: 2e trimestre 1989
Bibliothèque nationale du Québec

Données de catalogage avant publication (Canada)

Caron, Louis, 1942-
Les fils de la liberté
(Boréal compact; 11,12).
Sommaire: v. 1. Le canard de bois. v. 2. La corne de brume
ISBN 2-89052-282-2 (v. 1)
ISBN 2-89052-283-0 (v. 2)
I. Titre. II. Titre: Le canard de bois. III. Titre: La corne de brume. IV. Collection.
PS8555.A76F54 1989 C843' .54 C89-096144-1
PS9555.A76F54 1989 PQ3919.2.C37F54 1989

À la mémoire de mon père qui,
sentant sa fin prochaine,
fit mettre le feu à son bateau
sur le lac Saint-Pierre,
ne me laissant que ma tête
pour naviguer.

Quand j'eus fini d'écrire Le Canard de bois, *le personnage principal de ce roman, Hyacinthe Bellerose, cherchait à m'entraîner plus loin. Je n'ai pas résisté. Je savais ce que cet homme avait souffert, je connaissais son sens démesuré de la justice, et je n'ai pas regretté de lui avoir fait confiance. Il m'a mené aux portes de notre siècle.*

Devant moi, se dressait un homme que je ne connaissais pas et qui me dit se nommer Tim Bellerose. À mon étonnement, je reconnus le petit Irlandais de cinq ans qu'Hyacinthe avait adopté au début du Canard de bois. *Le père avait été emporté par la tourmente de 1837-1838. Il m'apparut qu'il serait intéressant de voir comment le fils, fût-il adoptif, assumerait l'héritage.*

C'est que, dans l'histoire des descendants des Français établis au Canada, comme dans la vie de tous les hommes et de toutes les femmes qui devaient contribuer à l'édification de ce pays, de lourds orages marquent les plus beaux étés. Une trentaine d'années après les rébellions qui avaient enflammé le Haut et le Bas-Canada, le tonnerre se mit à gronder dans les plaines de l'Ouest. Les Métis de la rivière Rouge, francophones et catholiques, se heurtèrent, en 1869, à la politique d'expansion du nouveau gouvernement fédéral. Refoulés plus à l'Ouest, dans l'actuelle province de la Saskatchewan, ils se soulevèrent de nouveau en 1884. Mais, une fois de plus, la révolte fut matée. Leur chef, Louis Riel, fut fait prisonnier, sommairement jugé pour trahison et pendu le 16 novembre 1885. Ce procès et cette pendaison, qui suscitèrent l'indignation et la colère des Canadiens français, ont laissé des traces difficiles à effacer dans l'histoire du Canada.

L'écho de ces événements traverse ce livre. Comme dans Le Canard de bois, *j'ai tenté de ne pas trop prendre de libertés avec l'Histoire. J'ai déjoué la chronologie seulement lorsqu'il était impossible de faire autrement et que cela n'altérait pas le sens des événements. J'espère par ailleurs que les lecteurs français ne s'offusqueront pas des quelques mots, une dizaine peut-être, qui ne leur sont guère familiers; dans la mesure du possible, je me suis efforcé de faire en sorte que le contexte en donne le sens.*

J'ai consacré les pages de la fin au petit Bruno Bellerose, qui traversait le premier roman à la manière d'un feu follet. Le troisième roman sera le sien.

PREMIÈRE PARTIE

La cage

«Alors, Menaud brandit le poing. De son vieux fonds de révolte, sortait sa rancoeur contre l'avachissement des siens.
Ils en étaient rendus là, à ne plus rien comprendre de ce que disait la voix des morts, à trahir les saintes alliances de la terre, à se laisser dépouiller comme des vaincus, à consentir, dans leur propre domaine, à toutes les besognes de servitude, à vendre même l'héritage contre le droit des enfants et les contrats du passé.»

F.-A. Savard,
Menaud maître-draveur

Le 19 août 1885, un radeau passa devant Sorel sans s'arrêter. Un deuxième train de bois venait derrière. C'était une fin d'après-midi. Le temps avait été couvert tout le jour, mais le soleil était enfin parvenu à se glisser sous les nuages à l'horizon. Il ne fallait pas se méprendre: cela présageait du mauvais temps pour le lendemain.

Tandis que le premier radeau s'engageait dans la section du chenal qui s'ouvre, bien droite et large, entre le port de Sorel et l'île de Grâce, une intense agitation régnait sur le second.

— Mouillez les avirons de babord, mouillez-les! Vous m'entendez?

Les hommes se regardaient comme si on venait de leur parler en latin. Le patron fonça sur eux. Il enjambait les ancres, les outils et les piles de bois qui encombraient le pont. Les trois rameurs de babord, qui se seraient cachés derrière leur instrument s'ils avaient pu, s'arcboutèrent à leurs longs avirons. Le patron se retourna.

— Vous autres aussi, à tribord.

Il y avait de ce côté huit hommes qui se tenaient comme des gens qui n'ont rien d'autre à faire que de regarder passer le vent; deux ou trois d'entre eux bourraient outrageusement leur pipe. Le patron les rejoignit.

— Vous autres aussi, aux avirons!

Ils obéirent sans conviction. Alors le patron se dirigea vers l'abri de cuisine.

Le radeau avait la superficie d'une bonne petite église de village, mais toute ressemblance avec une nef s'arrêtait là. C'était essentiellement un assemblage de pièces de bois équarri à la hache. On faisait un cadre avec les troncs des plus grands arbres que la terre du Canada ait jamais portés et on garnissait l'intérieur de pièces de moindre dimension. À vrai dire, ce premier plancher était constitué d'une douzaine de petits radeaux reliés entre eux par de la fibre de bois tressée, qu'on insérait dans des trous pratiqués à l'aide d'une tarière à longue tige terminée par une barre horizontale que deux hommes manoeuvraient en tournant. Cette technique d'assemblage permettait, au besoin, de fractionner l'ensemble pour franchir les passages étroits.

Sur la première rangée de pièces, c'était habituellement du pin, on en disposait transversalement une autre, du chêne quand il y en avait, puisque cette dernière essence ne flotte pas; on pontait ensuite le tout dans le sens des pièces du dessous et on déposait là-dessus une, deux ou trois cabanes munies de poignées de câbles et qui seraient les quartiers de l'équipage. Un toit de madriers reposant sur des piliers rudimentaires formait l'abri de cuisine. Des bittes d'amarrage étaient fichées sur le pourtour et il ne fallait pas chercher longtemps pour trouver de quoi dresser sept, huit ou dix mâts selon la quantité de voiles dont on disposait. Des tolets grinçants accommodaient au moins trois longs avirons de chaque côté de la plate-forme et un tronc d'arbre plutôt brut, retenu par des câbles à la jonction du radeau et de l'eau, formait le gouvernail. C'était de cette façon qu'on expédiait à Québec, sur le cours des rivières et du fleuve Saint-Laurent, le bois coupé dans les forêts du Nord-Ouest. Les marchands de Québec avaient des équipes d'ouvriers dont la fonction était de défaire ces radeaux et d'en charger les pièces sur des navires à destination de l'Angleterre, où on en ferait des bateaux qui viendraient à leur tour chercher du bois au Canada. Pour les gens du métier, ces radeaux étaient des «cages» et eux-mêmes des «cageux». Le fleuve en était couvert depuis la débâcle jusque tard l'automne.

La patron pénétra sous l'abri de cuisine. C'était grand comme la cabane d'un pionnier et tout y était assemblé de la façon la plus provisoire qui fût; l'abri serait démonté et vendu comme tout le reste à Québec. Les madriers qui en formaient le toit ne jouxtaient pas au milieu. Il y avait à cela une raison évidente, puisqu'une boîte remplie de sable jusqu'à la hauteur des hanches d'un homme servait de foyer où on brûlait des sections de troncs d'arbres entiers. La fumée s'échappait simplement par l'ouverture du toit.

Deux jeunes hommes, roux et frisés comme le patron, un à moustache, d'environ vingt-cinq ans et l'autre de dix-huit ans tout au plus, étaient assis devant le feu qui fumait plus qu'il ne brûlait sur le foyer de sable. C'étaient Jean-Jérôme et Jérémie, les fils du patron. Des poêles à frire noircies, à queue démesurément longue, pendaient du plafond. Des barils de porc salé et de farine, ainsi qu'une dame-jeanne de rhum s'alignaient le long d'un meuble bas qui servait à la fois d'armoire et de table à cuisiner. Deux grosses marmites reposaient sur le sable, à l'écart des bûches, à côté d'un seau d'eau et d'une bassine pleine de pommes de terre. Un chat roulé en boule sur la main courante qui tenait lieu de garde-fou semblait prendre beaucoup d'intérêt à regarder couler l'eau le long de la pièce qui fermait le radeau de ce côté. Les poutres sommairement équarries qui composaient le plancher étaient forcément d'inégale grosseur. Jérémie était simplement assis sur l'une d'elles, visiblement méfiant à l'endroit de son frère. Le patron but une gorgée de rhum en soulevant la dame-jeanne à deux mains. Il tourna tour à tour son regard vers les deux jeunes hommes.

— Allez donc vous rendre utiles quelque part, leur enjoignit-il, ici, chaque paire de bras doit gagner son lard.

Au même moment, un tumulte s'éleva dehors. Ceux de l'équipage étaient rangés en deux camps.

— Je vous le dis, clamait un dénommé Shoon, il faut s'arrêter tout de suite, attendre qu'ils aient pris le large.

— Qui commande ici? demanda le patron.

Il se tenait derrière eux, les mains dans les poches. Shoon fit un pas vers lui.

— On ne va pas plus loin, dit-il.

— Et pourquoi donc? demanda le patron, du ton de l'homme qui n'a pas très bien compris.

— Nous, notre idée est faite...

Jean-Jérôme s'approcha de son père pour tenter une explication.

— Ils sont trop nombreux, ceux de l'autre radeau. Il faut les laisser s'éloigner, attendre ici au moins toute la nuit, peut-être aussi demain matin.

Le patron éclata:

— C'est pour assembler une cage et la mener jusqu'à Québec que je vous ai engagés, pas pour caqueter comme des commères. Du bois carré, c'est fait pour filer, beau temps, mauvais temps, de nuit comme de jour. Je n'ai pas de temps à perdre. Aux rames!

La colère aurait fait friser le patron encore davantage, si c'eût été possible. Le courant portait doucement le radeau pendant ce temps et la petite ville de Sorel, avec ses quais et ses fumées, n'était plus très loin. La première cage avait disparu. Tous les hommes du radeau étaient devant la chaloupe. C'était une petite embarcation pointue aux deux extrémités, dont on se servait pour aller à terre et qui aurait pu, à la rigueur, contenir à peu près tout l'équipage en cas de désastre. Un petit mât court et une voile brune étaient roulés sur les bancs. Shoon se tenait devant le patron, les jambes bien écartées et les poings sur les hanches, inclinant légèrement la tête et le regardant dans les yeux.

— Comprenez donc, monsieur... vous n'irez nulle part sans nous.

— Et pourquoi?

— Parce que vous ne pouvez pas faire marcher la cage tout seul.

Les traits du patron durcirent comme s'il avait reçu un coup de poing dans le bas-ventre. Il les regarda un à un. Ils baissèrent les yeux pour la plupart et certains détournèrent carrément la tête.

— Émile, dit le patron, au gouvernail! Joseph, serre les voiles! Toi, Jérémie, mets un peu de lard à frire, mais pas trop, on ne nourrit pas ceux qui ne travaillent pas.

La chaloupe était à l'avant. Le patron se dirigea vers l'arrière en balançant le corps à gauche et à droite, comme le font ceux qui passent plus de temps sur l'eau que sur terre. Il regarda cependant par-dessus son épaule et ce qu'il vit lui coupa le souffle. Plus de la moitié de l'équipage, dont son propre fils Jean-Jérôme, s'affairait à mettre la chaloupe à l'eau. La manoeuvre s'accomplissait dans un grand désordre.

Le patron se rua sur eux.

— Le premier qui touche à cette chaloupe, je lui coupe la main.

Il s'était effectivement emparé d'une hache au passage, mais la chaloupe était déjà à l'eau. Les hommes finissaient d'embarquer.

Le patron écarta ceux qui se trouvaient encore sur le radeau. Il mit la main sur la pince de la chaloupe, mais au même moment un des hommes prit appui avec un aviron sur l'avant de la cage et poussa la barque au large. Déséquilibré, le patron se sentit attiré en avant. Il avait toujours les pieds sur le radeau mais il s'agrippait à la chaloupe qui s'éloignait. L'instant d'après, il était à l'eau. Il n'avait pas lâché sa hache et faisait de grands cercles sur l'eau avec sa main libre pour rester à flot. Joseph se mit à genoux et lui tendit son long bras, mais le patron ne s'intéressait qu'à la barque. Il avait bu en tombant et sa voix se dérobait, malgré le souffle puissant qu'il donnait à ses paroles.

— Vous le regretterez. Pas un seul ne sera payé. Même pas un écu percé.

Le patron ne semblait pas s'être aperçu qu'il était à l'eau. De son côté, Shoon se tenait à l'avant de la barque pour parlementer avec lui.

— Rendez-vous donc à la raison, monsieur! Ce qu'on demande c'est une nuit de répit, le temps qu'ils prennent le large.

— Jamais!

— Ils sont deux fois plus nombreux que nous. Vous voulez qu'ils mettent le radeau en pièces sur le lac Saint-Pierre? Laissez-les donc filer!

— Jamais!

— Si c'est votre dernier mot, monsieur, nous on s'en va. On reviendra demain matin.

— Ne vous en avisez surtout pas.

Le patron nageait vers la cage, tenant toujours sa hache à la main.

— Ni demain ni un autre jour, cria-t-il sans se retourner.

Il reprit pied dans le ruissellement de ses vêtements. Il regarda ceux qui restaient. Ils n'étaient plus que cinq. Outre son fils Jérémie, il y avait un nain, qui se disait rémouleur et que tous appelaient Bosse parce que cela correspondait à sa constitution, mais aussi parce qu'on pouvait confondre le mot avec «boss» et que le petit homme n'avait visiblement aucune disposition pour ce rôle. Les trois autres, Joseph, Antoine et Maurice étaient de pauvres diables sans feu ni lieu pour qui un radeau comme celui-ci avait toutes les vertus d'un bon chez-soi.

Ils avaient été élevés dans la plus ancienne partie de la petite ville de Nicolet, celle qu'on commençait à désigner par dérision comme «le Bas-Canada». C'était au bord de la rivière, au pied de l'emplacement des églises successives, un endroit que les plus fortunés avaient rapidement délaissé parce que la débâcle de chaque printemps y provoquait des inondations qui pouvaient emplir une maison jusqu'à l'étage et la tenir ainsi pendant une semaine. C'étaient sans doute les seuls cours de navigation que les trois eussent jamais suivis quand le patron les avait recrutés, il y avait de cela quelques années. À cette époque, Bellerose n'avait pas le choix de ses hommes et ceux-ci n'étaient pas dans la situation de faire la gueule fine non plus.

Le nain avait roulé sa bosse, c'était le cas de le dire, aux quatre coins du pays et dans tous les États de la Nouvelle-Angleterre. Il n'était pas plus rémouleur que son chat n'était officier de marine, mais il avait rapporté une pierre à aiguiser d'un de ses voyages et c'était plus qu'il ne lui en fallait pour trouver à s'engager. Quant à Jérémie, il était là pour être avec son père. Et les autres, ceux qui étaient partis dans la chaloupe? Cinq Irlandais pauvres comme la gale mais bons travailleurs; les deux Blaise, le vieux et le petit, deux coeurs d'or sur l'humus nicolétain, Émile, plus de voile que de gouvernail mais du coeur et Jean-Jérôme, le fils aîné qui n'avait guère l'habitude de ce genre de voyages. Des moutons qui rêvaient innocemment d'herbe grasse. Le patron les menait rudement.

Joseph, Antoine et Maurice se cherchaient des phrases, le nain était caché derrière sa pierre à aiguiser et faisait semblant d'être très occupé à démêler sa main droite de sa main gauche. Jérémie s'approcha de son père tenant une grande pièce de cotonnade à la main.

Le patron se dévêtit entièrement sous les yeux de ce qu'il lui restait d'équipage. Nu, il était encore plus rond. Le poil roux lui courait par tout le corps pour se rassembler à cet endroit où se fait l'homme. Quand il se fut séché, il donna quelques directives pour que le radeau poursuive sa route, Joseph à la barre et les autres aux avirons, avec consigne de serrer les voiles quand le peu de vent qu'il y avait le permettrait, puis il se retira sous l'abri.

Le couchant se surpassait ce soir-là. La petite ville de Sorel, qui est blottie à l'embouchure de la rivière Richelieu, avait des quais d'or. La barque menée par Shoon y accostait justement mais personne ne semblait plus s'en soucier à bord du radeau. Une odeur de lard grillé attira le nain jusque sous l'abri de cuisine.

— On mange bientôt? demanda-t-il en levant des yeux affamés vers le patron.

— Toi Bosse, va donc aiguiser ma hache!

En entendant le patron lui répondre sur ce ton, Bosse s'enfuit en s'emmêlant dans ses courtes jambes, se heurtant à Jérémie qui pénétrait à son tour sous l'abri. Il était pieds nus et en culottes. Il avait une chaînette de cuivre terni au cou, au bout de laquelle pendait l'effigie d'un saint.

— S'il y en a qui ont peur, dit-il, pas moi...

Le chat sauta en bas de la rambarde et s'en fut sur le pont.

— Je sais bien, poursuivit Jérémie, ce n'est pas la première fois que les équipages de deux cages se font des misères en descendant le fleuve. On peut même dire que ça fait partie du métier...

Son père tirait des vêtements secs de son coffre pour s'en revêtir.

— Il faut continuer, enchaîna Jérémie, si on ne va pas jusqu'à Québec, tout ce qu'on a fait n'aurait plus de sens...

Jérémie se tut, étonné d'en avoir tant dit. Il fit un petit salut en levant les yeux pour voir comment son père prenait la chose et il s'en retourna surveiller le lard qu'il avait mis à frire. Son père le laissa s'éloigner avant de sortir dans l'encombrement du pont.

Le fleuve commençait à bleuir. C'était l'heure où on faisait habituellement halte pour la nuit. Joseph, Antoine et Maurice avaient leur pipe toute prête à la main, Bosse était debout sur un baril, le chat entre les bras.

— Joseph, à la barre! Les autres, vous viendrez manger à tour de rôle.

Les hommes regardaient le patron, incrédules. Celui-ci désigna le fleuve devant lui.

— Je les connais, les traîtres. Ils vont nous attendre au passage entre l'île Lapierre et l'île des Barques. Nous allons passer au sud, dans le chenal des Barques, et pas demain matin, tout de suite, cette nuit. On sera à Québec pour les recevoir.

Il se tourna vers le nain.

— Toi, Bosse, à l'avant, le câble à noeuds entre les mains. Je veux t'entendre chantonner la profondeur toute la nuit.

Joseph, Antoine et Maurice n'étaient peut-être pas les plus fins navigateurs que les cages aient jamais portés mais ils en connaissaient assez pour savoir que ce qu'on attendait d'eux était folie. Ailleurs, peut-être, mais pas dans les îles de Sorel la nuit. On a beau mettre des feux, ils servent davantage à marquer votre position qu'à vous indiquer votre route.

— J'oubliais, dit le patron, pas de feux, je ne veux pas attirer les papillons.

Les hommes étaient empêtrés dans leurs doutes. Seul Bosse avait sauté en bas de son baril pour aller prendre sa position à l'avant. Le câble à noeuds, qui servait à mesurer la profondeur de l'eau, y était enroulé.

Jérémie vint s'asseoir sur une pièce surélevée près du bac à sable et se mit à se frotter les mains sur les cuisses. Une cloche fêlée pendait au bout d'une corde, touchante survivance d'une coutume des chantiers où son timbre puissant atteignait des hommes qui pouvaient être occupés à couper des arbres assez loin en forêt. Il en tira trois coups réguliers. Antoine et Maurice se présentèrent les premiers. Jérémie leur tendit à chacun une assiette de tôle dans laquelle il y avait six pommes de terre et une dizaine de tranches de lard croustillant. Les deux allèrent prendre leur fourchette sur le meuble à cuisiner et s'appuyèrent à la main courante pour avaler leur repas du soir. Le chat les y rejoignit promptement; il savait qu'il aurait droit à certaines couennes par trop coriaces.

Les autres en firent autant à tour de rôle. Le patron mangea le dernier en compagnie du fils qui lui était resté fidèle. Puis il alla relever Joseph à la barre.

C'était l'heure entre chien et loup où des bouquets de saules, devant, pouvaient prendre l'allure de nuages menaçants. Une même enveloppe contient la terre et le ciel. Tout ce qui grouille à l'intérieur a la même couleur de fin de jour, gris-bleu, puis brun, puis franchement nuit. Celle qui s'établit au-dessus du radeau et alentour avait des étoiles, mais des touffes de nuages surgis de nulle part les effaçaient à mesure qu'elles réapparaissaient. Le vent s'était levé, pas encore froid mais constant et forcissant rapidement, un vent du nord-ouest qui jetait de petites vagues aiguës contre le flanc du radeau.

Le patron tenait la barre des deux mains.

— Serrez la toile, cria-t-il.

Un voilier digne de ce nom, tenant le cap du radeau et filant à l'est comme celui-ci sous pareille brise du nord-ouest, se serait proprement couché sur le flanc et aurait glissé sur son franc-bord. Son équipage aurait bordé les écoutes et se serait allumé des pipes de satisfaction; c'était à peu près l'allure la plus confortable qu'un voilier puisse se donner.

Il n'en était pas de même du radeau. Par beau temps, il flottait parce qu'il était fait d'essences de bois dont c'était la propriété et il se déplaçait parce que le courant l'entraînait. Les voiles et les avirons servaient moins à le faire avancer qu'à corriger son orientation. Mais par gros temps, le radeau n'était à peu près pas manoeuvrable. Il ne glissait pas sur l'eau, il ne fendait pas la lame, il était trop grand et trop rigide pour gîter, encore moins pour rouler ou tanguer. Pour peu que l'eau se soulève, il fonçait dans la vague et passait le plus souvent dessous. La meilleure comparaison pour décrire l'allure d'un radeau sous le vent serait d'évoquer un homme qui mettrait ses deux poings à la hauteur de sa tête pour marcher droit devant lui, les yeux fermés, traversant des murs de briques sans sourciller. Il n'est d'ailleurs peut-être pas juste de dire «sans sourciller». Le radeau frappait la lame, frappait et frappait sans dommage, habituellement du moins, parce qu'il combinait deux forces en apparence contradictoires: il flottait et il était lourd, mais chaque pièce qui le composait résonnait comme un tuyau d'orgue. À tout instant, c'était «passe ou casse» et cette dernière hypothèse n'était pas à exclure. Dans ces circonstances, que le patron ait ordonné de serrer la toile n'était pas pour rassurer ses hommes.

La nuit avait fraîchi. Les étoiles sortaient de moins en moins d'entre les nuages.

— Deux, deux, une et demie, deux, un peu moins que deux, criait Bosse, penché à l'avant sur sa corde à mesurer la profondeur.

Le patron se mordait les lèvres. Quelque part devant, était-ce tout près ou encore loin, la pointe de l'île de Grâce s'avançait dans le fleuve et viendrait tôt ou tard à la rencontre du radeau. Il faudrait alors trouver l'entrée du chenal des Barques et là, contre toutes apparences, on serait en sûreté, d'abord parce que le vent sauterait de l'île des Barques à l'île du Moine en passant haut au-dessus du chenal, et ensuite parce que ce chenal étant très étroit, on aurait ses berges pour se guider. Le patron repassait chaque élément du paysage dans sa mémoire, les saules inclinés sur les rives de glaise, la profondeur de l'eau qui avait presque une odeur pour lui tant il la sentait, les canaux qui fuient soudain en s'enfonçant au hasard des îles nombreuses, certaines trop exposées à la débâcle pour entretenir des arbres, riches d'herbe cependant, et d'autres, serties de saules sur leur pourtour pour protéger à l'intérieur une espèce d'érable appelée «plaine du lac» par les habitants des environs. Le fleuve, qui coule paisiblement depuis Montréal jusqu'à Sorel, pressent à cet endroit qu'il va se répandre aux proportions d'une mer intérieure, le lac Saint-Pierre, et il jette une centaine d'îles dans son cours comme pour s'accrocher à la terre.

Le patron voyait tout cela dans sa tête, chaque élément séparément et, quand il le souhaitait, l'ensemble aussi cohérent qu'une carte géographique. Il avait les yeux grands ouverts sur la nuit et la barre plongeait dans l'eau tourbillonnante derrière lui.

— Joseph, demanda-t-il, rien devant?

— La nuit, patron.

— Bosse, quelle profondeur?

— Deux, répondit le nain.

Au jugé, selon l'allure qu'on tenait depuis que la nuit s'était faite, l'île de Grâce ne devait pourtant pas être très loin.

— Pousse à tribord! ordonna le patron.

C'était prudent. À cette époque, les feux étaient plus ou moins bien entretenus sur le Saint-Laurent. Le patron se souvenait être passé à quelques reprises devant des phares plus muets que la nuit. Le vent soufflait d'une voix égale maintenant. Les hommes tiraient ou poussaient de toutes leurs forces sur leurs avirons, selon le côté où ils étaient, mais ils ne maîtrisaient pas grand-chose, rongés de sueur sous leur laine mouillée.

— J'ai des joncs! cria soudain Bosse.

Le patron courut à l'avant, les mains tendues pour ne pas buter sur les mâts et l'encombrement du matériel.

— Donne un peu de lumière, Jérémie, dit-il en passant près de l'abri de cuisine.

Il s'agenouilla aux côtés du nain. Celui-ci tournait vers le patron une face inquiète que ce dernier ne pouvait pas voir. Le patron fronça les sourcils. Jérémie lui tendit un fanal dont les vitres étaient opaques d'un côté de façon à ne pas aveugler celui qui le tenait. Éclaboussé d'embruns, il envoya la lumière au-dessus de l'eau.

— Le diable a chié sur nous! gronda-t-il en se redressant.

Le radeau toucha la batture. La cage, lourde de sa course, laboura les fonds sur toute sa longueur avant de s'immobiliser. La poussée se maintenait. Le radeau pencha à tribord avant. L'eau monta dessus.

— Abattez les voiles! Ramassez ce qui est à l'eau!

Deux grandes caisses de bois pleines d'outils et un rouleau de câble furent tirés au sec. Les hommes étaient derrière le patron, muets de questions. Celui-ci tenait le fanal au bout de son poing et sa lueur aveuglait tout le monde. Il poursuivit sa réflexion comme pour lui-même:

— C'est pas l'île de Grâce. Avec le vent et le courant, on ne pouvait pas tomber dessus. Il faut que ce soit l'île des Barques...

— La pointe de l'île du Moine peut-être, insinua prudemment Joseph.

Le patron se tourna vers lui comme si l'autre venait de l'insulter, mais il ne dit rien, tourmenté à l'idée que Joseph pouvait avoir raison, auquel cas il lui faudrait reconnaître qu'il avait trop poussé le radeau à tribord. Une chose était certaine: la batture sur laquelle reposait la cage ne pouvait être que le prolongement naturel d'une des îles qui se dressent là, quatre fois grosses comme la ville de Sorel. Pour en avoir le coeur net, il envoya Antoine en reconnaissance. Antoine était le plus grand; c'était aussi celui qui n'avait peur de rien. Taciturne mais prêt à tout. Fanal au poing, il se mit à l'eau, enfonçant à mi-jambes dans la vase, et tous ceux du radeau le regardaient tanguer à chaque pas qu'il faisait en s'éloignant. Bientôt la lueur du fanal s'éleva et on sut qu'Antoine venait de prendre pied sur la berge.

— C'est peut-être la pointe qu'il y a avant l'île du Moine, cria-t-il.

Le vent hachait ses mots qui ne leur parvenaient que tout déchiquetés. Le patron n'allait pas admettre qu'il avait touché la terre ferme, auquel cas son erreur de navigation eût été très grande.

— Commence donc par aller voir avant de dire ce que c'est.

La lueur du fanal ne fut bientôt plus qu'une petite espérance qui se cherche dans la nuit. Ceux du radeau avaient les pieds dans l'eau, à l'avant. Puis Antoine revint en courant.

— C'est une île, annonça-t-il en bondissant dans les joncs visqueux.

Alors le patron sut qu'ils avaient abordé la pointe de l'île du Moine. Il se tourna vers ses hommes qui restaient là comme un troupeau indécis. Une lampe venait de s'allumer sous l'abri de cuisine.

— Venez, dit Jérémie, je vais faire chauffer du thé.

Ils allèrent s'asseoir sur le rebord du bac à sable qui tenait lieu de foyer. Maurice était allé chercher son tabac dans la cabane de l'arrière. Les hommes mâchouillaient le tuyau de leur pipe en attendant qu'il revienne. Le patron passait en revue dans sa tête chaque instant de la navigation qui les avait menés à terre. Une cage ne se gouvernait pas comme un bateau, il était en train de l'apprendre. Il avait sous-estimé la force du vent. Plutôt que d'avancer, ils avaient dérivé lentement à tribord. Peut-être étaient-ils passés si près de Sainte-Anne-de-Sorel qu'ils n'avaient pu apercevoir le phare de l'île de Grâce. Mais dans ce cas, ils auraient dû voir de la lumière au village. Il ne pouvait pas être très avant dans la nuit. Il tira sa montre de sa poche et se pencha pour profiter de la lueur du feu que Jérémie venait de raviver. Il était un peu moins de neuf heures. Ils avaient donc plutôt bien navigué depuis que le soleil s'était couché. S'ils avaient pu trouver l'entrée du chenal des Barques, ils auraient été à Nicolet au matin, auquel cas ils auraient eu tout le lac Saint-Pierre entre eux et ceux de l'autre radeau. Qui pourrait dire maintenant combien de temps il faudrait pour remettre la cage à flot? L'opération ne saurait être entreprise qu'au matin et le radeau ne comptait plus que cinq hommes d'équipage, en comptant le nain. Par surcroît, la glaise sucerait les pièces du dessous toute la nuit.

— Un vapeur, patron!

— Grouillez-vous. N'attendez pas qu'il soit passé.

Les innombrables lumières d'un vapeur encore loin en amont mais qui était, de toute évidence, plus près d'eux que de Sorel, projetaient une aurore boréale à l'horizon. Les hommes se mirent à hurler de joie et Joseph, pour une raison que lui seul connaissait, jeta son galurin par terre et le piétina avec frénésie. C'était sa façon d'exprimer sa très grande satisfaction.

Les hommes étaient déjà à l'arrière du radeau, discutant en emmêlant leurs voix de ce qu'il faudrait faire. Deux choses, essentiellement: attirer l'attention du vapeur pour qu'il s'arrête et obtenir qu'il lance un filin sur le radeau. Le reste serait un jeu d'enfant. On savait depuis plusieurs années déjà qu'un vapeur pouvait se jouer de n'importe quel tas de bois qui flotte ou qui refuse de se comporter comme tel. Les plus grosses exploitations avaient à leur usage des remorqueurs. Certaines avaient même commencé à remplacer l'équipage des cages par trois ou quatre hommes seulement, dont la tâche principale était de s'occuper des chevaux à vapeur qui se trouvaient dans les cales de la machine flottante. Les cageux murmuraient en les voyant filer que c'était injuste, mais, dans une circonstance comme celle-ci, la fumée de charbon avait une odeur d'encens.

Il fallait à tout prix attirer l'attention. Le patron fit apporter à l'arrière tout ce qu'il y avait à bord de lanternes et de fanaux et on se mit à les agiter. Pendant ce temps, le patron était allé tirer une corne de brume de son coffre. C'était un instrument de vieux cuivre poli, long et recourbé avec une ouverture évasée. Le patron souffla deux coups. La nuit frémit. Les deux coups de corne correspondaient au signal qu'il est convenu de transmettre par temps de brume quand on se trouve immobilisé sous babord amures.

Le vapeur approchait. Il se tenait en plein centre du chenal et sa course normale l'amènerait à passer assez près de la côte de l'île de Grâce, après quoi il foncerait entre l'île Lapierre et l'île des Barques et ce serait trop tard. Il fallait l'arrêter tout de suite, d'autant plus qu'une masse comme celle d'un vapeur filait encore longtemps entre le moment où on avait stoppé ses machines et celui où l'action énergique de son hélice tournant à contre-sens parvenait à l'immobiliser.

Personne ne savait encore de quel navire il s'agissait mais on pouvait présumer que c'était un bateau de grandes dimensions, à en juger par la quantité de lumières qu'il y avait sur les ponts et le long de ses quatre mâts. Il y avait là de quoi se réjouir et cultiver un peu d'inquiétude en même temps: un vapeur de cette taille remettrait le radeau à flot sans le moindre effort, mais il était connu que les capitaines de ces vaisseaux n'aimaient pas s'arrêter pour des balivernes. Ils avaient des passagers, du matériel à livrer et des horaires relativement stricts, puisqu'ils étaient moins soumis que les autres navires aux caprices de la nature. Les hommes du radeau s'impatientaient: il n'était pas possible qu'on ne les ait pas encore vus. Le patron soufflait dans sa corne de brume les deux coups réguliers qui indiquaient sa position mais il les émettait à une fréquence beaucoup plus rapprochée que celle qu'il aurait fallu adopter par temps de brume. Sonner deux coups consécutifs toutes les minutes ne le satisfaisait pas. Il soufflait deux coups, s'arrêtait quelques instants et recommençait. Ceux de l'équipage criaient en même temps, comme si leur voix avait pu être de quelque utilité dans l'affaire. Mais le navire gardait toujours la vapeur haute. Alors le patron se mit à sonner le S.O.S. Trois petits coups, trois longs, trois petits coups et ainsi de suite sans interruption. Aucun navire n'avait jamais passé outre à cet appel. De fait, le grondement sourd qui provenait des entrailles du monstre d'acier cessa et on sut, sur le radeau, qu'on avait toutes les chances d'être tirés de là.

La navire s'était arrêté. Il fallait maintenant convaincre le capitaine d'approcher. Celui-ci devait être sorti sur la passerelle puisqu'il se mit à crier dans un porte-voix. Le vent entraînait fort bien ses paroles vers le radeau. Les hommes tendaient l'oreille, mais le capitaine parlait anglais, comme il se devait. Le patron et lui discutèrent. Seul le nain pouvait y entendre quelque chose, mais les autres ne le savaient pas.

Le navire était le *S.S. Montreal.* Son capitaine n'était nul autre que le célèbre F.C. Gildersleeve. Ses cabines abritaient près de trois cents passagers, ses cales autant de marchandises que ne pouvaient en contenir deux bateaux de taille conventionnelle. Sa coque d'acier avait deux parois entre lesquelles l'eau pourrait s'engouffrer sans inconvénient advenant le cas où une collision avec un autre navire ou des blocs de glace viendrait à percer la première.

Le capitaine Gildersleeve était dans d'excellentes dispositions. Il était en avance sur son horaire. Il ne serait pas dit qu'il ne viendrait pas en aide à un navigateur en détresse, fût-il un cageux. Il proposa au patron du radeau de lui tendre un câble pour le tirer de son échouage quand celui-ci demanda soudain si le *S.S. Montreal* n'appartenait pas à la Upper Canada Line. Le commandant du *S.S. Montreal* parut flatté de cette reconnaissance et il confirma qu'il en était bien comme on avait déduit. Alors le patron du radeau se mit à invectiver son sauveteur. Bosse, à qui ses séjours en Nouvelle-Angleterre avaient rendu l'anglais intelligible, ne tenait plus sur ses pattes. Le patron était en train d'annoncer d'une façon plutôt cavalière au capitaine Gildersleeve qu'il se passerait fort bien de ses services et qu'il préférait en appeler à Satan lui-même plutôt que de demander l'aide de quelqu'un qui avait un rapport avec la Upper Canada Line. Il ne fut pas dit ce que le patron reprochait à cette société, mais il était évident qu'il en avait gros sur le coeur à son endroit.

De son côté, le capitaine Gildersleeve commençait à trouver qu'on se moquait de lui. En entendant l'autre continuer de lui déverser le fond de sa pensée sur la Upper Canada Line, le capitaine du *S.S. Montreal* n'eût qu'à actionner une manette qui se trouvait à sa portée dans le poste de pilotage pour qu'on remît la pression en bas dans la chambre des machines. La masse illuminée du *S.S. Montreal* recommença à glisser sur la nuit.

Les hommes qui croyaient que le capitaine du vapeur venait de leur refuser son assistance, n'avaient plus d'autre envie que d'aller se mettre à l'abri près du feu. Le nain était assis dans l'ombre; sachant ce qui s'était passé, il craignait le patron. Les autres fumaient leur pipe comme s'il se fût agi d'une activité dont le salut de leur âme aurait dépendu. Tout juste s'ils ne comptaient pas les grains de pluie fine qui tombaient sur le toit de l'abri. Le patron était allé reprendre la position qu'il occupait à l'avant du radeau au moment où le vapeur était apparu. Jérémie eut l'audace de l'y suivre. Le père et le fils étaient toujours ensemble, c'était entendu, sauf en certaines circonstances où personne n'approchait le patron, et c'en était une. Jérémie serrait les poings au fond de ses poches.

— C'est la plus longue course de ma vie, dit-il.

Son père ne semblait pas l'entendre. Le fils poursuivit cependant:

— On devait être à Québec dans deux jours.

— On y sera.

Jérémie regardait par-dessus l'épaule de son père.

— Vous avez toujours dit que celui qui mettait plus de vingt jours à descendre de la rivière du Nord jusqu'à Québec ne savait pas mener une cage, fit-il observer d'une voix prudente.

— Tu n'as pas encore tout vu.

Le père et le fils cherchèrent un instant la suite de leur conversation. Jérémie toussota, la pipe bien arrimée entre les dents. Il avait revêtu le chandail de laine bleue de son père. La nuit avait fraîchi.

— Je sais que je n'ai pas encore tout vu, reprit le jeune homme, il se pourrait bien que je ne vois pas tout non plus.

— Si j'avais dit la même chose à ton âge, je serais encore dans les jupes de ma mère, objecta le patron.

— C'est bien ce que je pense aussi.

— Alors si tu n'as rien d'autre à me dire...

— Il y a autre chose... je débarque à Québec.

— Il le faudra bien, ironisa le père, ils vont défaire le radeau.

— Le fleuve, c'est fini pour moi, précisa Jérémie.

— Si tu veux partir, c'est tout de suite.

— Pas avant que la cage soit tirée de là.

— Tu penses que j'ai besoin de toi?

— Beaucoup plus que vous ne le croyez.

Le père leva la main, mais le jeune homme s'écarta promptement. Jérémie regarda son père un moment avec beaucoup d'intensité, puis il sauta à l'eau et il se mit à lever haut les jambes en direction de l'île. Il allait y prendre pied quand le patron entendit un autre «plouf» à côté: c'était Bosse qui suivait Jérémie. Le malheureux petit homme avait de l'eau jusqu'à la poitrine. Il finit par aborder à son tour et bientôt leurs deux formes, la sienne et celle de Jérémie, se fondirent dans la nuit pluvieuse.

DEUXIÈME PARTIE

Un petit cigare

«Vivre icitte tranquille... vivre icitte tranquille, ce serait plaisant, murmura-t-elle... oui! mais... il faut penser à tout le pays aussi... Alors, si tu as de l'amitié pour moi, tu continueras comme Joson, comme mon père!»

F.-A. Savard,
Menaud maître-draveur

Resté seul à l'avant du radeau, le patron interrogeait la nuit. Il venait de perdre deux fils en un seul jour. Le premier, Jean-Jérôme, était parti avec ceux de l'équipage qui avaient débarqué à Sorel; le second, Jérémie, devait être en train de se demander où il allait.

Le patron gratta furieusement ses cheveux roux. Les jambes bien écartées sur le bois du radeau, il s'efforça en vain de ne pas se laisser entraîner en arrière par ses souvenirs. Des événements tragiques lui avaient cloué son enfance sur la poitrine pour la vie.

Il avait à peine cinq ans. Il se nommait Timothy Burke. Ses parents, des immigrants irlandais, étaient morts de misère et de choléra en mettant le pied sur le sol de l'Amérique, à l'île de la Quarantaine.

Peu de temps après l'avoir recueilli, celui qui allait lui tenir lieu de père, Hyacinthe Bellerose, l'avait confié à une métisse, une jeune fille du Port-Saint-François dont les gens se moquaient parce qu'elle avait une part de sang indien dans les veines. Ils l'appelaient Marie-Moitié. Malgré tout, le petit Timothy réapprenait à sourire.

Mais c'étaient des temps troublés. Dans un coup d'éclat, Hyacinthe Bellerose avait entraîné à l'église du Port-Saint-François tous les malheureux du village et ce n'était pas pour prier. Ils étaient résolus à ne sortir de là qu'une fois la dernière injustice réparée. Timothy était allongé sur un banc de l'église et il faisait semblant de dormir. Il ne pouvait pas. Il avait peur. Il croyait être le seul.

Des hommes avec des fusils, des fourches et des bâtons s'étaient rassemblés dans l'allée. Son père était parmi eux. Ils disaient que tout s'arrangerait au matin, mais à la première lueur du jour des soldats avaient cerné l'église. On avait fait sortir les femmes et les enfants. Un homme avait tenté de parlementer avec ceux qui étaient restés à l'intérieur. Il avait été tué. Timothy voyait encore le sang sur sa redingote grise. Les soldats avaient alors donné l'assaut et ceux qui se trouvaient dans l'église avaient été pris et emmenés sur des charrettes. Les gens du village disaient, en les voyant passer, que la révolte des Patriotes était bel et bien matée.

Pendant des mois, des années, le petit Timothy Burke avait cru ce que Marie-Moitié lui répétait chaque soir, que son père était parti faire un long voyage sur les mers, chercher du pain d'épice pour tous les enfants sages de la terre. Mais Hyacinthe Bellerose ne revenait pas.

La mère du jeune Timothy l'envoyait chaque jour à l'école de Miss Marler, au village, parce qu'elle soutenait qu'un descendant d'Irlandais devait savoir parler anglais. Et lui, forcé d'adopter l'amplitude des pas d'un homme à huit ou neuf ans, était prêt à se battre avec n'importe lequel de ceux qui se moquaient de lui, fils de Patriote, qui apprenait l'anglais.

Puis un soir d'automne, quelqu'un avait frappé à la porte. Ce n'était pas un villageois qui venait chercher Marie pour soigner un malade. C'était un inconnu avec un grand manteau gris. Les gestes vifs, il s'avança devant la table et dit:

— C'est vous, Marie?

Il n'osait dire Moitié et cherchait à dissimuler son embarras. Il expliqua qu'il se nommait Langlois et qu'il avait été un compagnon d'exil d'Hyacinthe Bellerose, un compagnon fidèle, qu'ils avaient été très près l'un de l'autre, mais qu'Hyacinthe n'avait pas l'amitié facile.

— Il n'est pas mort, interrompit Marie, alors il est revenu?

— C'est grand, l'Australie, répétait Langlois. Il ne faut pas perdre espoir; pour certains, les chemins sont plus longs que pour d'autres...

Puis, il était reparti. Marie pleurait.

Le lendemain matin, le jeune Timothy Burke annonça à sa mère que désormais il se ferait appeler Tim Bellerose.

Le temps, cependant, continuait à sécréter ses saisons. Tim fréquentait toujours l'école anglaise de Miss Marler. C'est là qu'il fit la connaissance d'Émilie Létourneau.

Émilie et Tim étaient deux enfants fiers. Émilie offrit à Tim le pain de sa collation; il refusa parce qu'il n'avait rien à lui proposer en retour. Ils se plaisaient cependant en compagnie l'un de l'autre. Lequel des deux en eut l'idée en premier? Tim alla proposer ses services au père d'Émilie. Le bonhomme Létourneau sourit et finit par accepter, moitié pour lui venir en aide, moitié parce qu'il savait que ce garçon n'était pas dépourvu de vaillance. Il l'envoya mettre en valeur sa terre de l'île Lozeau. Il y avait là des fossés à creuser pour drainer des marécages, des berges à dégager et des clairières à entretenir.

L'île Lozeau était un royaume au confluent de la rivière Nicolet et du fleuve Saint-Laurent. Tim y passait ses grandes journées aussi seul que le premier homme qui était apparu sur la terre. Émilie s'arrangea, un jour qu'il faisait très chaud, pour aller y mettre en évidence sa féminité naissante. Elle montra à Tim la pousse de ses seins et celui-ci n'y resta pas insensible.

Puis, ce fut «à la vie et à la mort» entre eux. Des années s'écoulèrent. L'innocence s'effrita. Leur sentiment s'affermit. Chaque fois que l'occasion s'en présentait, Tim tendait la main à Émilie pour l'aider à descendre de voiture ou de barque. Il lui tressait des couronnes de ce foin d'odeur qui proliférait sur l'île, il lui apportait du pain d'oiseau — une plante aux fleurs bleues comestibles — qu'ils s'amusaient à grignoter ensemble, assis sur la levée du fossé.

Que Tim entretînt des rapports de gentillesse avec la fille de son patron, personne n'y trouvait vraiment à redire, c'était tissé de naïveté. Mais quand on commença à les voir trop souvent ensemble à un âge où on prend vite les choses au sérieux, les conversations s'animèrent.

Le Port-Saint-François était déjà un gros village prospère en ce temps-là. La British American Land y avait un quai, des hangars et une auberge. On y fabriquait de la potasse, on commerçait le bois et on faisait venir des Irlandais pour coloniser les Bois-Francs. Après le marchand Smith, qui était l'agent de la British American Land, Cyprien Létourneau était l'homme le plus important du village. Le «bonhomme Létourneau» — personne n'aurait osé l'appeler ainsi en sa présence — avait commencé par être pauvre comme tout le monde, mais il semblait avoir un sens qui le prévenait des bonnes décisions à prendre. Les terres lui tombaient entre les mains. À quarante ans, il en avait plus qu'il ne pouvait en exploiter lui-même. Il engageait, pour le faire, des gens qui étaient restés les mains vides. Mais il avait dû payer le prix de sa réussite. À la mort de sa femme, ses enfants avaient quitté un à un la maison familiale. Ils rêvaient de tramways à six chevaux, de manufactures et de logis dans les beaux quartiers de Montréal. Émilie promettait de ne pas être différente.

Contre toute attente, Cyprien Létourneau ne s'objecta pas aux amours naissantes de Tim Bellerose et de sa fille. Il y voyait le moyen de retenir cette dernière à l'écart des séductions de la grande ville. Il annonça qu'à son mariage il donnerait la terre de l'île Lozeau à sa fille. Tim Bellerose aimait Émilie Létourneau et il avait consacré la plus grande partie de son adolescence à mettre en valeur ladite terre de l'île Lozeau. Ils s'épousèrent en août 1852. Ils avaient tous les deux vingt ans.

Tim Bellerose, qui avait perdu ses parents en bas âge et dont le père adoptif ne revenait toujours pas d'exil, rêvait d'une maison remplie d'enfants. Émilie Létourneau était une petite femme vive et entreprenante. Ils se construisirent une grande maison pleine de chambres sonores sur les hauteurs de l'île Lozeau. Une galerie couverte en faisait le tour. Une grange, une étable, tous les espoirs étaient permis.

Un seul enfant leur fut donné, après huit ans de mariage, Jean-Jérôme. À la naissance de l'enfant, le père d'Émilie lui envoya une lointaine cousine dont les parents étaient tombés dans la misère. Plutôt que de se reposer, Émilie en profita pour redoubler d'activité. La fourche ne lui pesait pas lourd au bout du bras. Elle trayait les vaches, donnait le grain aux poules et versait la moulée aux cochons. Elle abattait une tâche d'homme. Elle n'aimait pas les travaux de la ferme; la naissance de son fils la poussait en avant.

Tim, de son côté, redoublait d'efforts comme s'il avait eu une famille de douze enfants à nourrir. Il était emporté par l'idée qu'un paysan ne peut jamais aller plus loin que le bout de sa terre, si grande fût-elle. Son beau-père avait résolu la question en achetant d'autres terres. C'était d'un autre côté que Tim et Émilie cherchaient. Deux évidences leur apparurent: la première, qu'avec un peu d'aide, Émilie était capable de gérer la ferme; la seconde, que Tim pouvait consacrer le temps que cela lui laissait à d'autres occupations qui devaient leur permettre, un jour, de ne plus avoir à gratter la terre pour vivre. C'est ensemble qu'ils eurent l'idée de la pêche sur le lac Saint-Pierre.

Tim emmenait son fils lever ses filets. Jean-Jérôme ne parlait pas, fier d'être avec lui. Il ne devait rien faire, rien dire, rester à sa place et regarder. Vous savez comme c'est grand le lac Saint-Pierre quand on débouche du chenal d'en arrière. Le passage est étroit entre les joncs et soudain c'est le lac, grand comme la mer. Tim était debout. C'était une petite barque à fond plat, carrée aux extrémités. Il la manoeuvrait avec un aviron très long. Il allait dans le petit matin et Jean-Jérôme s'étonnait toujours qu'il trouve son chemin. Il y avait des perches plantées de loin en loin dans l'eau peu profonde. C'est là qu'étaient les filets. Des verveux. De longs entonnoirs dont l'ouverture rétrécissait vers l'intérieur. Certains matins les verveux étaient pleins. Tim en déversait le contenu au fond de la barque et le fils mettait les pieds sur le banc pour ne pas sentir les poissons le toucher. Il y en avait de très gros, des esturgeons, avec des dents, qui se débattaient en tapant sur le fond de la barque avec leur queue.

Un jour, le vent était si fort que la barque n'obéissait plus. L'eau entrait. Tim avait attaché son fils à son banc avec le câble de l'ancre. Couché sur le banc et ficelé. Le nez sur les poissons. Tim vidait la barque avec une baille. C'était devenu gris puis presque nuit. Il n'y avait plus de rives. Jean-Jérôme ne savait pas combien de temps ils avaient dérivé. Beaucoup plus tard, en décollant le nez du banc où il était attaché, il avait vu qu'ils étaient parmi des joncs. Mais ce n'étaient pas ceux de leur rive. Ils avaient traversé tout le lac et ils étaient arrivés en face, presque à l'embouchure de la rivière du Loup. Tim l'avait détaché et ils étaient allés à une auberge. Jean-Jérôme claquait des dents. Tim lui avait fait boire un alcool chaud avec du miel. Jean-Jérôme était devenu tout engourdi. Il était assis à côté de son père sur le banc. Il avait mis sa tête sur son épaule. Il dormait presque quand il avait entendu Tim lui dire en riant: «Tu vois, petit gars, la tempête ce n'est rien tant que tu ne te laisses pas gagner par la peur.

Un homme c'est fait pour dompter sa peur. Souviens-toi de ça.»

En d'autres circonstances, Tim étendait un filet à mailles serrées devant l'étable. Il jetait du grain dessus. Au matin, il y avait des dizaines d'oiseaux blancs qui avaient les pattes prises dans les mailles du filet. Tim leur tordait le cou, il leur arrachait les plumes, Émilie les faisait cuire tout ronds, la tête avec, on ôtait seulement les pattes et c'était une fête, les grandes serviettes de table blanches nouées autour du cou et le père qui répétait: «Attention Jean-Jérôme, c'est plein de petits os ces bestioles, tu vas te percer le gosier.»

En automne, Tim emmenait Émilie à la chasse avec lui. C'était l'époque de l'année où il redevenait le jeune homme qu'elle avait connu au temps de leurs premières amours. Ils partaient à la fin du jour dans une petite chaloupe étroite et pointue. Il y avait tout juste la place pour mettre leurs affaires entre eux deux. Tim chassait toujours au même endroit dans les joncs de la grande anse derrière l'île. Il y avait comme une clairière dans les joncs. C'était grand comme deux ou trois fois l'aire devant l'étable. Il enfonçait la chaloupe dans les joncs. Il la recouvrait d'autres joncs qu'il arrachait aux alentours. Tout juste si le bon Dieu lui-même aurait pu les retrouver là-dessous. Ils mangeaient un peu puis ils s'allongeaient sous des catalognes épaisses. C'était si étroit qu'ils étaient adossés chacun au bordé. Il ne fallait pas bouger; la chaloupe aurait chaviré. Toute une nuit à passer en attendant la première lueur de l'aube. Tim fumait tranquillement sa pipe. Émilie lui disait à voix basse: «On est bien, ensemble tous les deux. Tu ne trouves pas?» Il répondait: «C'est parce qu'on a laissé nos soucis à terre.» Et Émilie lui répliquait: «On devrait avoir un endroit où on irait comme ça, tous les jours, chasse ou pas.» Tim vidait sa pipe en la frappant contre le bordé, Émilie mettait sa tête sur son épaule, elle finissait par se retrouver sur lui, et ils devaient mesurer leurs gestes en s'embrassant. Quand il rendait hommage à son Émilie, Tim avait des yeux de petit garçon. Les cheveux frisés comme jamais! Un grand rire fou lui montait chaque fois qu'ils arrivaient au bout de l'entreprise. La chaloupe allait de tous bords tous côtés. Ils s'endormaient dans les bras l'un de l'autre et ni roi ni reine dans leur palais ne dormaient mieux qu'eux deux.

À l'île Lozeau, cependant, Tim et Émilie regardaient longuement le paysage d'hiver de la fenêtre de leur chambre à l'étage. Une fin du monde. Des semaines entières sans que Jean-Jérôme puisse sortir pour aller à l'école, tant le vent soulevait la neige. Une mer sans rivages.

Émilie avait le mot juste: on rêvait. Chacun selon ses moyens. Enfant, on attendait tout de la venue de Saint-Nicolas, le premier de l'an. Mais plus on grandissait, plus on était forcé de réduire la portée de ses rêves. La plupart des gens en venaient à ne plus en faire. Tim et Émilie n'étaient pas de ceux-là.

Ils avaient à coeur de ne pas mourir derrière la charrue. Émilie aurait voulu aller écouter des musiciens jouer dans les salles de concert. Tim grattait ses cheveux roux en pensant qu'un jour il aurait cinquante, cent hommes sous ses ordres. Il imaginait que ses entreprises pourraient faire de lui quelqu'un d'aussi important que le marchand Smith ou que son beau-père. Ces gens-là n'étaient pas nés sur de la paille d'or. Il y avait un commencement à tout et Tim savait que le petit bout de la corne d'abondance n'était pas dans son étable. La réussite, c'était une question de colonnes de chiffres dans de grands livres soigneusement tenus par des comptables dévoués. Le succès, c'était de pouvoir dire: «J'achète, je vends» au gré de son impulsion. Il fallait faire un premier pas pour en arriver là. Mais dans quelle direction?

Tim finit par se décider: «Le pays est grand. C'est fini le temps où chacun s'en allait avec son canot d'écorce sur les épaules. Il faut tirer parti de la distance et de tout ce qu'il y a à transporter. Je vais me faire construire un bateau.»

C'était un matin d'automne croustillant. Tim Bellerose était parti de l'île Lozeau dans sa barque à fond plat et il avait longé les joncs de la berge jusqu'à la pointe Lussaudière, là où s'ouvrait le chenal Tardif. Il en avait remonté le cours tortueux jusqu'à Notre-Dame-de-Pierreville. Il y était arrivé au sommet de l'après-midi. Le village, vingt maisons, des fumoirs, des séchoirs et des hangars, était accroché aux berges glaiseuses du chenal. La petite route qui y menait n'avait pas tellement d'importance. Les quais étaient les trottoirs de ce village, les barques des pêcheurs, les voitures de ce pays-là. Des brassées de perches, trois fois hautes comme un homme, étaient appuyées contre les arbres. Une épaisse fumée montait des fumoirs. Des chaloupes renversées montraient le goudron de leur fond et, au bout des quais, des enfants tranchaient d'un geste vif la tête des barbottes qui leur grouillaient dans la main.

Tim frappa chez Élie Cournoyer. Une maison haute, sans peinture, un grand toit de tôle et tout un petit peuple de hangars autour. La cuisine sentait le poisson bouilli et la fumée de pipe. Élie Cournoyer avait trente-cinq ans environ, tout en os, le crâne rasé de si près qu'on l'aurait cru chauve, avec des mains deux fois grandes comme celles d'un autre. Une femme à l'avenant. Une poignée d'enfants autour d'eux, les pieds nus et les yeux bleus. Tim tira sa pipe de sa poche et ce qu'il avait à dire vint d'un coup.

— Tu vas me construire un bateau. Un bateau à tout faire, un bateau pour tout transporter, du bois, de la pierre, du sable, des caisses, des tonneaux, des gens, tout. Avec des quartiers pour nous loger, moi et une couple d'hommes d'équipage. Une petite cuisine aussi. Un bateau pour aller loin, tu me comprends bien?

Élie Cournoyer se passa la main sur le crâne.

— C'est l'arche de Noé que tu me demandes?

Tim insista:

— Si je suis venu, c'est parce que je sais que tu peux le faire.

— J'ai le bois, dit Cournoyer en désignant de la tête les hangars qui devaient se trouver derrière la maison, et mon hiver est à moi. Des hommes, je peux en trouver.

— Regarde un peu, l'interrompit Tim en sortant un bout de papier froissé de sa poche.

Ils avaient soigneusement dessiné leur bateau, Tim et Émilie, sous la lampe de la cuisine, une fois Jean-Jérôme couché.

— Il a pas de mâts, fit remarquer Cournoyer, et ça, qu'est-ce que c'est, une cheminée? Tu me crois capable d'y mettre un engin à vapeur?

— Ceux qui les vendent ont des gens pour les installer.

Cournoyer jeta un regard à la dérobée à sa femme.

— Je sais pas si je pourrai, dit-il, j'ai pas l'habitude d'en faire d'aussi gros. Pourquoi tu demandes pas aux chantiers à Montréal ou à Québec?

— Parce que si on ne se décide pas, on ne saura jamais les construire, les gros bateaux.

Cournoyer dodelinait de la tête.

— Et puis, un bateau comme ça, c'est hors de prix.

Tim se tapa sur la cuisse.

— J'ai ce qu'il faut, dit-il.

— Ça peut monter, poursuivit Cournoyer, disons deux mille piastres au moins, jusqu'à quatre mille peut-être.

Tim tira une liasse de billets de sa poche.

— C'est un acompte, dit-il, mille piastres. Alors, c'est entendu, tu me le fais ce bateau? Tout en chêne...

— Sûrement pas, les membrures en chêne, le bordé en pin.

— C'est suffisant?

— Pas de luxe, mais solide. Bon pour le lac Saint-Pierre en tout cas.

— Et si tu t'y mettais tout de suite, il serait prêt au printemps?

Cournoyer se passa plusieurs fois la main sur le crâne avant de répondre.

Ils soupèrent parmi les esquisses qui encombraient la table. Les enfants montèrent se coucher. Il y avait parmi eux une grande fille de seize, dix-sept ans qui n'avait pas quitté Tim des yeux depuis son arrivée. Celui-ci ne l'avait même pas remarquée. La jeune fille coucha ses frères et soeurs, leur fit faire une très courte prière et redescendit. Sa mère pelait des anguilles à un bout de la table. À l'autre extrémité, le bateau de Tim prenait forme sur de grandes feuilles de papier. Il était encore plus beau que Tim et Émilie ne l'avaient jamais imaginé. Cournoyer y mettait tout son amour de l'eau. La jeune fille s'approcha de son père, posa sa main sur son épaule et elle resta là une grande partie de la soirée, à écouter et à regarder.

Il n'était évidemment pas question que Tim Bellerose retourne à Nicolet dans la nuit. La femme d'Élie Cournoyer alla quérir au grenier de la cuisine une paillasse recouverte d'un tissu cousu de retailles de toutes les couleurs. Elle la déposa devant le poêle et elle se fit aider de sa fille pour étendre des couvertures dessus.

— Vous allez dormir comme un loir, monsieur Bellerose.

Les deux femmes se retirèrent.

— Il faudrait faire un contrat, dit Tim.

— Chez le notaire? demanda Cournoyer.

— Non, un bon contrat signé de notre main.

Élie Cournoyer écarta les esquisses. Il prit une feuille de papier, passa plusieurs fois la main dessus comme pour en enlever tout ce qui avait pu l'imprégner de leur conversation antérieure et il tira la plume de l'encrier. Il écrivit sous la dictée de Tim:

«Notre-Dame-de-Pierreville, 7 octobre 1865

Contrat entre Tim Bellerose, cultivateur de Nicolet, et Élie Cournoyer, pêcheur et bâtisseur de bateaux de Notre-Dame-de-Pierreville. Cournoyer fera pendant l'hiver de 1865 et le printemps de 1866 un bateau de 55 pieds de long, 18 pieds de large, avec un tirant d'eau de quatre pieds, les membrures en chêne, le bordé en pin, ponté avec des ouvertures pour aller dans la cale, quartiers pour trois personnes à l'arrière, incluant cuisine, gouvernail de chêne, gréement de cuivre, l'engin et ses accessoires pas installés...»

Cournoyer repoussa sa chaise et se passa encore une fois la main sur le crâne.

— Il faut inscrire le prix, dit-il.

— Comment savoir? répondit Tim.

— J'ai mon idée, renchérit Cournoyer.

— Alors dis-la.

— Trois mille cinq cent piastres.

— Tu as commencé par dire deux mille.

— Ton bateau a grossi depuis ce temps-là.

— Avec l'engin, il finira par me coûter cinq mille piastres.

— C'est le prix. Tu en as vu beaucoup, toi, des bateaux comme ça? Tu sais ce que ça rapporte? Le prix est en conséquence.

— Tu es sûr qu'il sera fini au printemps? demanda Tim.

— Si tu veux, je peux mettre qu'il sera lancé après les mers de mai.

— Alors écris.

— Et le prix?

— Je te dis d'écrire.

Cournoyer trempa sa plume dans l'encrier.

«Bellerose paiera pour le bateau tel que décrit trois mille cinq cent piastres.»

Cournoyer leva la plume.

— Il faut préciser quand tu me paieras.

— Qu'est-ce que tu demandes?

— Une part pour commencer, ton acompte suffira, une autre part à Noël, la troisième à Pâques et le reste à la mise à l'eau. Ça te va?

Tim fit signe que oui et Cournoyer inscrivit ce que l'autre venait de dire. Il ajouta la mention que le bateau devrait être fini à temps pour naviguer après les mers de mai. Il regarda Tim une dernière fois.

— Tu ne changes pas d'idée?

— Non, fit Tim, mais dépêche-toi.

Alors Cournoyer tendit le bout de papier que Tim signa promptement. Cournoyer en fit autant et il plia soigneusement le document qu'il alla déposer dans un sucrier ébréché dans l'armoire. En revenant à la table, il avait deux petits verres et une bouteille à la main. Il versa un alcool qui brûlait rien qu'à le regarder et il leva son verre.

— Au succès de ton bateau. Tu lui as trouvé un nom?

Tim leva son verre à son tour.

— Je lui donnerai celui de ma femme. Il s'appellera *L'Émilie.*

Les deux hommes avalèrent leur petit verre d'alcool d'un trait. Ils s'appuyèrent au dossier de leur chaise, les mains sur le rebord de la table, contents de leur accord.

— Je suis prêt à commencer demain matin, dit Cournoyer. Choisir le bois, j'en ai du bon, engager un homme ou deux...

Le bâtisseur de bateaux regarda Tim dans les yeux.

— Un vrai capitaine doit connaître son bateau de la quille à la pointe des mâts, de la cheminée, si tu veux. Je suis prêt à te loger et à te nourrir sans rien te demander en supplément.

— Excellente idée, renchérit Tim, je pourrais te donner un coup de main, ce serait ça d'épargné.

Cournoyer versa deux autres petits verres de son alcool pour permettre à Tim de lever le sien et de conclure:

— Ce sera le meilleur bateau que le lac Saint-Pierre ait jamais porté.

Les deux hommes emplirent la cuisine de leur rire. Cournoyer se retira et Tim passa une partie de la nuit à regarder danser la lueur du feu par l'entrebaillement de la petite porte de fonte.

Deux jours plus tard, il était chez son beau-père. Cyprien Létourneau vivait un peu à l'écart du Port Saint-François, dans une grosse maison de pierres, à l'angle de deux routes dont l'une menait à Nicolet, l'autre aux Trois-Rivières, ou plus précisément en face, à Sainte-Angèle, d'où il fallait prendre un bateau pour traverser le fleuve. Cette maison dominait tout.

Le bonhomme Létourneau était un grand vieux à longs favoris gris, à redingote et à chaîne de montre en or. Un cultivateur qui n'en avait plus l'air. Un homme d'affaires avisé. On le disait très dur.

Tim était en confiance. Il prit bien son temps pour expliquer ce qui l'amenait. Il évoqua les débuts difficiles, les matins pleins de promesses et la récompense qu'on pouvait en espérer. Le bonhomme Létourneau hochait la tête et laissait parler son gendre. Tim s'arrangea pour lui faire admettre qu'il était vrai que «la fortune sourit aux audacieux». Lui-même n'avait-il pas été à ses débuts, un cultivateur comme les autres? Est-ce qu'il ne serait pas encore aujourd'hui un paysan aux habits crottés de fumier s'il n'avait décidé un jour, le bon jour, de faire un geste, le premier, plein de risques peut-être, qui devait le mener à porter une redingote et une montre en or? Et chaque homme n'avait-il pas de la même façon son occasion, qu'il saisissait avec plus ou moins de succès, selon son talent? Lui, Tim Bellerose, avait à coeur d'assurer à sa famille un avenir certain, fallût-il pour cela qu'il travaille vingt heures par jour. Il avait bien réfléchi, tout pesé, tout analysé. Son choix était fait. Non pas qu'il reniât les vertus de la terre, mais les temps changeaient et il ne fallait plus mettre tous ses oeufs dans le même panier. Trop de gens ignoraient encore qu'on était entré dans l'ère des manufactures. Lui, comptait en profiter. Les villes commençaient à grossir. Cela signifiait que de plus en plus de gens dépendraient de la campagne pour se nourrir, se chauffer, bâtir des maisons, entretenir la vache ou le cheval. L'avenir était aux transports. C'était le temps comme jamais de se faire construire un bateau.

Le bonhomme Létourneau était tout à fait d'accord. Tim jubilait intérieurement sans rien en laisser voir. Le vieux paysan converti en homme d'affaires ne voyait aucun obstacle dans le fait que Tim devrait engager des gens pour voir aux travaux de sa ferme. Lui-même avait procédé de cette façon, il y avait déjà fort longtemps. Puis il en vint à la question cruciale. Un bon bateau coûtait cher. Tim avait-il pu amasser ce qu'il fallait pour le payer? — «Pas entièrement.» Le bonhomme Létourneau parlait comme si Tim allait devoir patienter quelques années avant de matérialiser son rêve.

Alors Tim vida son sac. C'était tout de suite ou jamais. Il avait versé mille piastres d'acompte; il devait emprunter le solde. Le bonhomme Létourneau ne faisait rien pour aider son gendre. Il l'écoutait comme s'il n'avait pas encore compris ce qu'on attendait de lui. Tim dut parler clairement. Il pensait que son beau-père pourrait lui prêter l'argent. Le bonhomme Létourneau jouait avec la chaîne de sa montre. Il se taisait. Tim craignait que son beau-père ne s'aperçoive que ses mains tremblaient.

Létourneau se lança à son tour dans une tirade sur l'état de l'économie. L'argent était rare. Le développement prodigieux qui commençait à se faire sentir dans les villes avait durement taxé les ressources du pays. Les paysans étaient encore en train d'apprendre qu'il ne fallait plus se contenter de se suffire à soi-même mais produire du blé pour les villes, du lait pour les villes, du bois pour les villes. Cela impliquait des façons nouvelles de cultiver la terre. Ne pas hésiter à se mettre à plusieurs pour acheter une machine à vapeur qu'on transporterait chez l'un et chez l'autre. De plus, depuis l'abolition des tarifs préférentiels que le Canada avait toujours eus avec l'Angleterre, — cela remontait à 1849 — le pays avait beaucoup de mal à supporter la concurrence des Américains. Tout ce que ces gens touchaient se transformait en or mais cet or, c'était autant d'enlevé aux Canadiens. Dans ces conditions, il fallait se montrer prudents. Prendre des risques bien calculés. Ne pas se lancer aveuglément dans des emprunts.

Tim Bellerose était désespéré. Il s'entendait battre le coeur dans les oreilles. C'étaient peut-être les premiers coups de marteau que donnaient Élie Cournoyer et ses engagés au bateau qu'il avait commandé. Il riposta avec la dernière énergie. Il était facile de parler de prudence quand on avait acquis l'aisance, mais il fallait bien commencer quelque part et il y avait toujours un moment où on devait se jeter à l'eau. Lui, était prêt à le faire. Il avait simplement besoin qu'on l'aide un peu. Et puis il ne demandait pas la charité. Celui qui lui prêterait l'argent aurait le bateau en garantie. Létourneau répliqua là-dessus que les prêteurs ne s'intéressaient pas aux bateaux. Il doutait sérieusement que quelqu'un acceptât de financer l'entreprise.

Tim frappa un dernier grand coup. Il était comme un homme exténué qui veut finir d'abattre l'arbre qu'il a entamé et qui cogne, les yeux fermés, aveugle et sourd, ivre de fatigue. Son beau-père, lui, pouvait envisager l'affaire d'un autre point de vue que celui de l'économie. C'était un service à rendre à quelqu'un de la famille.

Le bonhomme Létourneau marchait de long en large, les mains dans le dos, dans le petit boudoir qui lui tenait lieu d'office. Tim était assis sur le bout de sa chaise.

— Non, dit Létourneau, je ne peux pas te prêter cet argent, pour la simple raison que je ne l'ai pas. Je suis d'une autre époque. Tout ce que je possède, je le mets dans la terre.

Il s'arrêta et regarda un moment par la fenêtre, puis il ajouta sans se retourner:

— Le plus que je peux faire pour toi, c'est t'offrir mon endossement. Si tu trouves un prêteur, ce dont je doute, il exigera sûrement la caution de quelqu'un qui a du bien. Tu me l'enverras et si ses conditions sont acceptables, je suis prêt à donner une terre en garantie. Mais je dois te dire que je n'aime pas ce genre de choses. C'est pour Émilie que je le fais.

Tim sortit de chez son beau-père sans même se rendre compte qu'il mettait un pied devant l'autre. L'univers s'était rétréci autour de lui. Il n'y avait presque plus d'air à respirer. Tout ce qu'il voyait et entendait, c'étaient les coups de marteau d'Élie Cournoyer et de ses engagés.

Ce soir-là, Tim puisa dans le lit d'Émilie la force de continuer la bataille. Sa femme avait raison: son père n'était pas une banque. C'était déjà beaucoup qu'il ait offert son endossement. Il fallait maintenant aller trouver ceux qui faisaient profession de prêter de l'argent.

Le lendemain, Tim amarra sa barque près d'un tas de planches sur une petite plage au bout des quais des Trois-Rivières et il gravit la côte. Midi. Ce n'était pas l'heure de se présenter chez les gens. Il remonta la rue du Platon et la redescendit vingt fois. Il acheta au marché deux pommes qui lui tiendraient lieu de dîner. Il avait la tête et l'estomac si à l'envers que les fruits lui restèrent dans la gorge. Il se décida enfin à tourner la poignée de la porte d'une maison basse, pratiquement assise sur le trottoir.

Le rez-de-chaussée était d'un seul tenant. C'était à la fois un magasin et un entrepôt. Des rouleaux de tissu, des barils, des casiers pleins de boutons, des chaussures, des rouleaux de câbles, un peu de tout. Il y avait au centre de la pièce une table encombrée de cahiers et derrière cette table, un petit homme gris qui mordillait les barbes de sa plume. Benjamin Levy, le marchand juif des Trois-Rivières. On le disait tout-puissant, connu à Montréal comme à Québec et peut-être à New York aussi. Bien plus qu'un simple marchand, d'ailleurs, il possédait des terres à cent milles à la ronde. Il avait fondé une banque aux Trois-Rivières, la Continental Money.

Benjamin Levy aurait pu diriger ses affaires du haut d'un édifice imposant, comme on commençait à en voir à cette époque aux Trois-Rivières, mais il était resté attaché à ce vieux magasin ouvert par son arrière-grand-père, l'un des premiers juifs à être admis dans la colonie après la conquête anglaise. Tant que le Canada avait été à eux, les Français n'avaient pas laissé un seul Juif s'y établir. Benjamin Levy était naturellement de langue anglaise mais il parlait le français avec beaucoup d'aisance. Il leva les yeux vers celui qui venait d'entrer.

Tim se jeta tête baissée dans une explication d'où il ressortait qu'il était probablement le plus entreprenant des Canadiens et qu'il avait besoin qu'on lui prête de l'argent pour se faire construire un bateau. Levy l'écouta sans sourciller. Quand Tim eut fini, le petit homme gris posa les mains à plat sur la table devant lui et sourit un instant.

— Il y a une chose que vous avez oublié de mentionner, dit-il d'une voix amusée, c'est le montant. Combien vous faut-il?

— Le bateau coûte trois mille cinq cent piastres, l'engin, mille cinq cent. Cinq mille en tout. J'ai déjà versé mille piastres.

Le marchand se leva. Il semblait excité. Il vint trouver Tim devant la table.

— Ai-je bien compris, demanda-t-il, que vous avez l'intention de mettre un moteur à vapeur à votre bateau?

Tim joua le tout pour le tout.

— Précisément, répondit-il, comment voulez-vous arriver à battre la concurrence avec des bateaux qui sont toujours en retard parce que le vent souffle dans la mauvaise direction?

Levy le regardait sans sourciller. Un sourire énigmatique illuminait son visage.

— Enfin, un Canadien entreprenant, finit-il par dire. Je vous félicite, monsieur Bellerose. Vous voyez grand. C'est ce qu'il faut dans ce pays, mais la plupart de vos compatriotes n'y sont pas habitués.

Tim n'en revenait pas. Le marchand avait repris sa place derrière la table. Il parlait tranquillement. Il commença par s'enquérir de la situation financière de Tim. Celui-ci s'était préparé. Non, il ne possédait pas en propre la terre qu'il cultivait; elle apparaissait au nom de sa femme dans les registres. La maison aussi, d'ailleurs. Et il recommença la démonstration qu'il avait faite à son beau-père à propos de l'opportunité d'approvisionner les villes. Trois-Rivières et Sorel étaient à sa portée. Le marchand opinait. Alors, Tim jugea que le moment était venu de lâcher son coup de canon.

Il était bien conscient qu'un bateau ne pouvait constituer une garantie suffisante, en regard de la somme impliquée. C'était pour cette raison qu'il s'était assuré l'appui de son beau-père, lequel était disposé à se porter garant de l'emprunt. Son nom? Cyprien Létourneau, du Port-Saint-François.

Levy sourit encore une fois. C'était très bien. Monsieur Létourneau était un homme recommandable à tous points de vue. Ils avaient d'ailleurs traité quelques affaires ensemble. Dans ces conditions, il était disposé à examiner la demande de monsieur Bellerose avec toute l'attention voulue. C'était une simple question de temps. Une semaine ou deux.

Tim avait du mal à rester sur le bout de sa chaise.

— Combien de temps? demanda-t-il.

— Y a-t-il quelque chose qui vous presse? s'enquit le marchand.

— J'ai quelqu'un, expliqua Tim, un excellent constructeur, qui est prêt à me faire mon bateau cet hiver, mais il a plus de demandes qu'il ne peut en satisfaire. Pour tout dire, je lui ai passé la commande il y a deux jours. Ce serait dommage de se priver des services d'un homme comme celui-là.

Benjamin Levy était de cet avis, mais il fallait tout de même prendre le temps de préparer le billet et de rédiger l'hypothèque qu'il lèverait sur une des terres de monsieur Létourneau. Il faudrait ensuite ménager une rencontre entre l'endosseur et lui, et enfin, si on recueillait toutes les signatures nécessaires, faire apposer les timbres légaux sur les papiers. C'était l'affaire d'une semaine. Monsieur Bellerose pouvait-il dire quand monsieur Létourneau serait disposé à venir aux Trois-Rivières?

Tim prit une mine contrariée. Il n'était pas du tout certain que son beau-père se soumettrait de bon gré à cette procédure.

— C'est ennuyeux, expliqua-t-il, il a des affaires qui le retiennent à Nicolet et j'ai bien peur qu'il ne puisse se déplacer avant une semaine, peut-être davantage.

Le marchand eut l'air de compatir au désarroi de Tim.

— Ne vous mettez pas en peine, monsieur Bellerose, j'ai beaucoup de considération pour votre beau-père et nous allons tâcher de faire pour le mieux. J'ai des affaires qui m'amènent à franchir le fleuve à l'occasion. Je m'arrangerai pour aller à Nicolet dans les prochains jours. Prévenez simplement monsieur Létourneau de ma visite. Disons, jeudi après-midi.

Tim se retrouva sur la rue du Platon aussi léger qu'un papillon. Le temps s'était couvert, le vent s'était levé et la traversée du retour serait laborieuse. Peu lui importait. Il ne se souvint d'ailleurs jamais de ce voyage. Il avironnait dans sa barque à fond plat mais, dans son imagination, il était à la barre de *L'Émilie* et il transportait une importante cargaison dont il entendait tirer un bon profit.

Il fallait maintenant prévenir son beau-père des pourparlers qu'il avait entrepris avec Benjamin Levy. Tim n'aurait pas su dire exactement pourquoi mais il pressentait que le bonhomme Létourneau ne serait pas heureux d'apprendre que sa démarche avait porté fruit. Il décida de donner le moins de temps possible à son beau-père pour réfléchir à la question et de ne l'informer de la visite du marchand des Trois-Rivières qu'au dernier moment, le jeudi midi même. Entre-temps, il fit faire le message à Élie Cournoyer qu'il était retenu à Nicolet mais que rien n'était changé à leurs accords et qu'il irait à Notre-Dame-de-Pierreville le plus tôt qu'il le pourrait.

Il savait que Benjamin Levy viendrait à Nicolet à bord du vapeur qui abordait au quai du village, d'où il prendrait, après avoir fait ses affaires habituelles, un cheval et une voiture pour se rendre au Port-Saint-François. Tim passa la fin de la matinée du jeudi suivant sur la berge de l'île Lozeau et quand le vapeur qui transportait Benjamin Levy entra dans la rivière, il le laissa remonter un peu le cours de la Nicolet avant de sauter dans son canot et de filer au Port-Saint-François. Il tira son canot sur la plage et courut se poster sur la route qui venait de Nicolet. C'était un ancien chemin de sable, bien droit, sur lequel on pouvait voir venir une voiture de loin. Tim savait que le marchand louerait son attelage à l'hôtel Dufresne. Il reconnut sans peine la bête et fonça chez son beau-père, le temps de le prévenir d'un ton détaché qu'il avait trouvé un prêteur et que ce dernier devait passer dans la journée.

Cyprien Létourneau se montra aimable envers son visiteur. Il semblait disposé à conclure l'affaire sur le champ. Benjamin Levy tenait à prendre en garantie une terre que monsieur Létourneau possédait aux limites de l'ancienne seigneurie, sur la branche sud-ouest de la rivière Nicolet, presque en face du petit village de La Visitation. Le beau-père parut contrarié, mais l'acte était rédigé en conséquence et il le signa d'un parafe emporté qui éleva son gendre à des hauteurs insoupçonnées.

Tim marchait sur de la plume. Il avalait des nuages entiers à chacune de ses respirations. Pour peu, il aurait cassé le tuyau de sa pipe. Benjamin Levy se retira en disant que Tim Bellerose pourrait venir prendre son argent le lundi suivant. Létourneau reconduisit le marchand et Tim s'apprêtait à remercier chaleureusement son beau-père de sa générosité quand ce dernier fondit sur lui, laissant paraître une fureur imprévisible.

— Tu sais ce que tu viens de faire, demanda-t-il, le sais-tu?

Tim ne voyait vraiment pas de quoi il pouvait s'agir. Le bonhomme Létourneau leva sur lui un doigt tremblant.

— Par ta faute, dit-il, Levy vient de mettre la main sur une de mes terres qu'il convoitait depuis quinze ans.

— Je ne savais pas. Vous auriez pu en hypothéquer une autre.

— Et perdre la face? Les papiers étaient prêts. Il s'est déplacé pour venir jusque dans ma maison.

Le bonhomme Létourneau tournait en rond dans son salon. Il avait l'air d'avoir tout à fait oublié la présence de Tim. Il finit pourtant par s'arrêter devant lui.

— Écoute-moi bien, mon garçon. Avec tes histoires d'engin à vapeur, c'est quatre mille piastres que tu viens d'emprunter, portant intérêt à neuf et trois quarts pour cent l'an, remboursables en dix ans, en tranches égales, payables le premier jeudi d'octobre de chaque année. Alors, tu vas me faire le plaisir de le construire solide, ce bateau, et vite, et tu vas suer sang et eau pour en tirer le plus de profits que tu pourras, parce que si jamais tu viens à faillir à une seule des échéances d'octobre, je te ferai pendre par le cou. Tu m'as compris?

Tim était trop stupéfait pour dire ou faire quoi que ce soit. Il restait là, les deux bras le long du corps, le dos un peu rond et la tête vide.

— Qu'est-ce que tu attends? s'écria le bonhomme Létourneau. Cours me le faire, ce bateau!

Et il ajouta d'un ton moins élevé mais tout aussi chargé de colère:

— Pas un mot à Émilie de ce qui s'est passé ici. J'aurais trop honte.

Tim ne rentra à la maison de l'île Lozeau qu'à l'heure du souper. Il lui avait fallu tout ce temps pour se redonner une contenance. Il parla avec assurance, résuma ses démarches des derniers jours et annonça d'une voix joyeuse que la fin de leur petite vie de misère était en vue. Émilie partageait son enthousiasme. Les jours qui suivirent furent aussi longs que les dernières heures du Carême. Le lundi, Tim s'en fut chercher son argent aux Trois-Rivières. Il y en avait tant que cela emplissait une longue chaussette grise à bordure rouge.

C'était au grenier au-dessus de la cuisine chez Élie Cournoyer, à Notre-Dame-de-Pierreville. La femme de Cournoyer avait installé un vieux lit de cuivre au centre de la pièce. Il y avait une toute petite fenêtre à quatre carreaux, à côté de laquelle se dressait la souche d'une cheminée de briques. Un tuyau de tôle qui passait dans une ouverture du plancher venait s'y enfoncer. Cela suffisait à chauffer la pièce, à condition toutefois de ne pas fermer la trappe de l'escalier. Tim avait passé un hiver délicieux dans ce grenier.

Son bateau prenait forme dans la cour. Le matin, il fallait balayer la neige qui en recouvrait la charpente. Élie Cournoyer avait engagé deux de ses voisins, pêcheurs d'anguilles comme lui. Avec Tim qui leur donnait un coup de main, ils formaient une petite équipe de quatre fumeurs de pipe heureux de besogner sous le ciel bas. Les jours étaient courts. Tim et Cournoyer passaient leurs soirées devant le poêle de la cuisine à rallumer des pipes dans la fumée desquelles se dessinait le plus gros bateau qu'on avait jamais construit à Notre-Dame.

Certains jours, tout le village était là pour le regarder. Il y eut des veillées de rires et de chansons. Le vieux Sébastien savait des histoires qui pouvaient durer toute la nuit et un des Latraverse, celui qui avait de longues dents, jouait du violon comme tous les diables réunis.

Tim faisait le seigneur. C'était lui qui était à l'origine de cet hiver mémorable. On le traitait en conséquence. La femme de Cournoyer se surpassait pour lui être agréable, une portion de plus que les autres à table et du thé tant qu'il pouvait en contenir. Ce n'était pas que le menu fût exceptionnel, on ne mangeait à peu près que du poisson, bouilli, fumé ou rôti et les repas s'agrémentaient toujours d'un grand bol de lait dans lequel on trempait des bouchées de pain. Le destin de Tim avait pris un tour nouveau autour de ce plat.

L'aînée des filles Cournoyer, Nastasie, mettait toujours sa fourchette dans le bol en même temps que lui. C'était l'occasion de se regarder du bout des yeux et de se sourire. Tim ne pouvait faire autrement que de s'apercevoir que Nastasie était jolie fille. Il commença par se contenter de le constater, mais on aurait dit que Nastasie tenait vraiment à ce qu'il ne l'oublie pas. Un fichu de laine jeté sur ses épaules illuminait la cuisine.

— T'as froid? lui demandait sa mère.

Nastasie faisait la moue et ne répondait pas. Elle avait tout juste dix-huit ans. C'était l'âge des grands engagements, à une époque où on n'avait pas de temps à perdre, mais elle n'avait pas de prétendant attitré. Un papillon. Les fleurs où se poser étaient rares à Notre-Dame. Tim présentait toutes les vertus de l'exotisme.

Il ne pouvait ignorer de son côté qu'il avait plus de trente ans, une femme et un enfant dans la maison de l'île Lozeau. Cela donne à la fois de l'assurance et de la méfiance. Il ne savait pas encore cependant qu'à trente ans, les hommes se révoltent pour trois poils gris qui leur apparaissent dans la barbe. Il était flatté de la situation et il se contentait d'en sourire.

Quelques jours avant Noël, la femme de Cournoyer avait entraîné ses enfants à l'église où il y avait tant à faire, répéter des cantiques et finir de bâtir la crèche. Nastasie était restée à la maison pour nourrir le poêle et préparer le souper.

Tim ne s'était pas levé ce jour-là. Une faiblesse le tenait depuis le début de la semaine. Des étourdissements, des sueurs et des frissons. Cournoyer avait insisté pour qu'il reste au lit.

— Deux ou trois jours sous les couvertures et rien n'y paraîtra plus.

Le temps des fêtes approchant, on avait providentiellement du bouillon de poule à portée. Il en avait bu à s'écoeurer. Nastasie ne finissait pas de lui en monter. Il fit semblant de dormir en entendant ses pas dans l'escalier.

Il y avait à côté du lit une caisse de bois qui tenait lieu de table de chevet. Nastasie y posa sa tasse de bouillon.

Tim se donna une lente respiration de dormeur et il observa la jeune fille à travers ses cils. Au lieu de s'en aller, elle approcha silencieusement la chaise sur laquelle Tim déposait ses vêtements et elle s'assit dessus. Elle le regardait, les mains jointes sur son tablier. On entendait l'horloge de la cuisine en bas. Le temps marchait sur la pointe des pieds. Nastasie se mit à chantonner;

«Les anges dans nos campagnes
Ont entonné l'hymne des cieux.
Et l'écho de nos montagnes
Redit ce chant mélodieux:
Glo-ooooo-ooooo-ooooo ria
In excelcis Deo!»

Tim fit celui qui s'éveille.

— J'étais en train de rêver qu'un ange était assis à côté de mon lit, dit-il. Je vois que je ne me trompais pas.

Nastasie sourit.

— Vous dormiez comme un bébé, dit-elle.

— Je me sens beaucoup mieux, déclara Tim, qui mentait effrontément. Mais où sont les autres? On n'entend rien.

— À l'église pour préparer la fête.

— Tu n'aurais pas aimé y aller toi aussi?

— Il fallait bien que quelqu'un garde la maison. Prendre soin de vous aussi.

Tim sourit à son tour.

— J'ai jamais été si bien soigné de toute ma vie. C'est à vous donner envie d'être malade plus souvent.

Nastasie se leva et vint s'asseoir sur le lit à ses côtés. Elle se mit à lui jouer dans les cheveux.

Tim commença par faire celui qui ne comprend pas. Nastasie se pencha pour l'embrasser.

Tim se redressa sur son lit. Il la regarda dans les yeux.

— Tu sais ce que tu fais au moins?

Pour toute réponse, la jeune fille posa sa tête sur l'oreiller. Alors Tim s'allongea près d'elle.

— Tu es belle comme un ange, dit-il, ça fait si longtemps que j'avais envie de t'embrasser.

Et l'après-midi se fit toute ronde.

Quelques jours plus tard, Tim était à l'île Lozeau pour fêter Noël avec Émilie et Jean-Jérôme. Le père rapportait à l'enfant la reproduction en miniature du bateau qu'il était en train de faire construire à Notre-Dame-de-Pierreville. Émilie n'était pas la moins intéressée des deux. Tim la vit, un soir entre Noël et le premier de l'an, faire voguer le bateau sur la table de la cuisine dans un moment où elle se croyait seule.

Lui, de son côté, s'efforçait de ne pas trop penser à ce qui s'était passé au grenier chez Cournoyer. Il n'était pas peu fier que Nastasie l'ait choisi pour lui offrir la fleur de sa jeunesse, mais son amour pour Émilie ne devait en aucune façon être affecté par cet incident. Il se disait que ce sont des choses qui arrivent dans la vie d'un homme comme de trop boire et d'en être malade. Il s'agissait de ne pas recommencer.

Nastasie l'entendait autrement. Dès le retour de Tim, elle le poursuivit dans tous les endroits où ils pouvaient être seuls quelques instants. Il avait d'abord cherché à lui faire entendre raison. Nastasie n'avait qu'une loi, celle de son coeur, qui se mettait à battre à tout rompre dès qu'elle se trouvait en présence de Tim. Celui-ci s'y soumit à plusieurs reprises au cours de l'hiver.

Aux premiers jours du printemps, Tim alla trouver le marchand Benjamin Levy aux Trois-Rivières. Son bateau serait mis à l'eau sous peu et il entendait s'enquérir des marchés et des possibilités d'effectuer des transports réguliers entre Sorel et Trois-Rivières.

Le marchand insista pour dire que monsieur Bellerose devait commencer avec des entreprises assurées. N'était-il pas en rapport avec les pêcheurs d'anguilles de Notre-Dame-de-Pierreville? Il y avait là une bonne affaire dont il ne se doutait même pas. S'il achetait de grandes quantités d'anguilles à deux sous la pièce, sa fortune était assurée dans le port de New York. Tim était resté aussi étonné que si on lui avait proposé d'aller livrer des fromages sur la lune. New York? Le marchand insista. Il était en rapport avec plusieurs personnes influentes qui faisaient de bonnes affaires dans la grande ville américaine. Un mot de sa part et c'était fait. N'était-il pas normal qu'il ait à coeur le succès de l'entreprise d'un homme dont il était le créancier?

Tim accepta. Le marchand écrivit deux lettres qu'il cacheta. Deux adresses, deux promesses.

Quand il revint à Notre-Dame-de-Pierreville, Tim avait une montre d'argent au bout d'une chaîne du même métal, dans la poche de son gilet. Il la tirait plus souvent que nécessaire en exposant son plan.

Il y avait une douzaine de pêcheurs dans la cuisine chez Cournoyer; autant de questions que de têtes de pipes. D'abord, personne ne voulait admettre que les Américains puissent être friands d'anguilles, un poisson visqueux qu'il fallait faire bouillir dans le lait. Levy avait dit que c'était un plat recherché dans les restaurants newyorkais. Cela contredisait tout ce qu'on croyait savoir sur ce peuple indépendant et fier. New York n'était pas à la porte. Pour s'y rendre, il fallait emprunter des eaux qu'on ne connaissait pas. Enfin, Tim avait-il songé que ces gens-là ne traitaient qu'en anglais? Les pêcheurs de Notre-Dame ne furent pas peu étonnés d'entendre Tim leur répondre dans la langue des seigneurs. On ignorait à Notre-Dame que Tim Bellerose avait parlé l'anglais avant d'apprendre le français dans une cabane des Bois-Francs, au temps où il était encore Timothy Burke. Sa démonstration emporta leur adhésion. Deux sous la pièce, l'anguille proprement séchée et disposée tête-bêche dans une bonne boîte de bois. Tim paierait la moitié du prix de la marchandise à l'embarquement, le solde à son retour. Les pêcheurs auraient préféré tout toucher d'un coup; Tim leur fit miroiter d'autres affaires pour plus tard dans la saison. Ils secouèrent leur pipe, râclèrent leurs bottes sur le plancher, repoussèrent leur chaise et se retirèrent l'un après l'autre.

Tim resta seul avec Élie Cournoyer. Un dernier verre et quelques confidences. La pipe rallumée pour la contenance. Tim rêvait à voix haute. Les courses folles sur les eaux du Canada et des États-Unis, un deuxième bateau peut-être, c'était à envisager, mais d'abord mettre celui-ci à l'eau. Cournoyer disait que c'était l'affaire d'une journée. Les gens de la Bennet and Henderson avaient fini d'installer l'engin à vapeur. Il suffisait de retirer les échafaudages qui avaient servi à dresser la cheminée. Le berceau de *L'Émilie* avait été construit de façon à en permettre le halage. Deux chevaux et des cabestans feraient l'affaire.

Tim parla de l'équipage qu'il entendait recruter à Nicolet. Un certain Blaise et son fils. Un autre jeune homme peut-être. Ils seraient quatre en tout, c'était plus que suffisant pour la manoeuvre et on pourrait naviguer la nuit. Le bateau de Tim logeait six personnes dans la cabine. La cuisine était petite, mais on l'avait pourvue d'un bon poêle et de marmites de fer. Il y avait même la place pour y étendre une paillasse pour la cuisinière. Cournoyer demanda si Tim avait l'intention d'emmener sa femme avec lui pour qu'elle remplisse cet office. Tim répondit que c'était impossible, que sa femme avait la charge de la ferme de l'île Lozeau.

Cournoyer tournait autour du pot. Tim n'avait-il pas remarqué tout l'hiver que Nastasie le regardait avec de grands yeux admiratifs? Tim ne devait qu'en être flatté.

Celui-ci commençait à se demander si Cournoyer n'avait pas deviné ce qui s'était passé entre eux deux. Il fut soulagé en entendant le pêcheur d'anguilles en arriver au fait.

— Elle s'est mis en tête d'être cuisinière à bord de *L'Émilie.*

Tim mordit le tuyau de sa pipe.

— Avec n'importe qui d'autre, ce serait non, poursuivit Cournoyer, mais parce que c'est toi...

Tim souffla un jet de fumée dense.

— Je n'y avais pas pensé, dit-il.

— Emmène-la donc avec toi. C'est sûrement la seule occasion qu'elle a de toute sa vie d'aller à New York.

Ce soir-là, Tim ne dit ni oui ni non. Il céda le lendemain.

Le bateau fut mis à l'eau dans un grand éclaboussement de vagues. Tim annonça qu'il ferait une première sortie sur le lac Saint-Pierre, le temps d'enseigner à quelques bouts de câbles à se lover docilement, d'apprendre à bien regarder osciller le balancier du moteur, à graisser les bielles, l'arbre qui transmettait la puissance à l'hélice, la poussée qui n'en finissait pas, même après qu'on ait abattu la vapeur, les manoeuvres d'accostage, puis le bercement au mouillage, l'ancre qui chassait et qu'il faudrait remplacer par une plus lourde, les termes à se mettre en bouche, les gestes à polir, l'eau dans la cale, le premier gros temps, les poignées de la roue à domestiquer, et quelques nuits sans sommeil à écouter la coque passer des accords avec l'eau.

La première sortie ne mena donc nulle part. Blaise, un homme d'une trentaine d'années et son fils, dix ans tout au plus, Émile, un grand rat craintif, Nastasie et le patron, dans son chandail de grosse laine bleue qu'Émilie lui avait tricoté pour Noël, s'amusaient comme des enfants. Trois jours et trois nuits à manoeuvrer pour le seul plaisir de le faire. De retour à Notre-Dame, Tim décréta que *L'Émilie* était prête pour son voyage inaugural. On bourra la cale de caisses d'anguilles séchées qui devaient faire la fortune du village. Destination New York. Ceux qui restaient sur le quai ne savaient pas exactement où c'était, mais personne ne doutait que Tim Bellerose y parvienne sans encombre.

Il ne se passa rien entre Tim et Nastasie jusqu'au bassin de Chambly. *L'Émilie* y entra en fin de journée. C'était une grande baie bordée de petites montagnes. Devant, les portes monumentales d'un ouvrage de pierres. La rivière y pénétrait par des voies obscures. La première écluse. Il était trop tard pour la franchir. Les éclusiers étaient partis boire la bière des Molson à l'auberge du canal. Ils ne reprendraient leurs postes qu'au lever du jour. Tim envoya ses hommes à terre après leur avoir donné de quoi passer la soirée sans trop de peine, puis il ancra *L'Émilie* au large.

Il faisait face à Nastasie. Celle-ci le regardait avec ses yeux bleus. Elle avait une robe de batiste rouge. Sa présence dans l'encombrement du pont était un appel.

Tim tira un petit cigare d'une boîte qu'il gardait à portée de la main dans un coffret sous un banc du pont. Il l'alluma et parut accorder beaucoup d'importance à la fumée qui s'en allait dans le soir.

— J'attendais ce moment depuis si longtemps, dit Nastasie.

Tim se tourna vers elle.

— La vie n'est pas un rêve, dit-il, un homme, une femme, un regard, un baiser, l'amour, non, ce serait trop beau.

Nastasie était appuyée au franc-bord. Ses mains posées de chaque côté de son corps, derrière elle, la rejetaient en avant. Faisait-elle la moue ou cet air portait-il du défi? En tout cas, son regard soutenait celui de l'homme.

— Je ne veux pas te faire de mal, poursuivit Tim, mais il faut que je m'épargne moi aussi. Tu comprends?

Nastasie fit signe que oui.

— À ton âge, la vie est une pomme, on mord dedans sans se demander ni pourquoi ni comment. Je ne t'en fais pas reproche. Mais moi...

Tim regarda l'étendue calme du bassin de Chambly sur lequel le soir était en train de se poser.

— Comprends-moi, j'ai trente ans passé, une femme, un enfant, un bateau qui n'est pas à moi, la cale pleine d'anguilles séchées et si je commets une seule erreur, je coule.

Nastasie traversa le pont.

— As-tu fini de te moquer de moi?

Tim la prit aux épaules.

— Je ne me moque pas de toi. Si tu savais comme il m'en coûte.

Nastasie s'assit sur le banc. La nuit commençait à couler. Une catastrophe de bruits divers. La vie. Tim était resté debout. Nastasie le força à s'asseoir à son tour en le tirant par la manche. Leurs cuisses se touchaient.

— J'en sais bien plus que tu ne crois, dit-elle.

Tim ne répondit rien. Le cigare bougeait entre ses doigts.

— Tu compliques beaucoup trop les choses, dit la jeune fille. Un homme et une femme, c'est fait pour s'aimer et c'est tout.

Tim se moqua en penchant la tête.

— Et c'est tout...

— Oui, c'est tout. C'est toi qui me l'as appris.

Tim jeta son cigare par-dessus bord. L'instant d'après ils s'embrassaient. Vers dix heures, une barque accosta *L'Émilie*. Les trois membres de l'équipage s'étaient fait remmener à bord par un compagnon d'auberge, après être allés au bout de leurs écus. Tim et Nastasie sortirent en hâte de la cabine. Les autres firent comme s'ils n'avaient rien remarqué.

Une écluse après l'autre, au bout de deux jours on ne les comptait plus, de grandes platées de pommes de terre et de fèves au lard que Nastasie déposait sur le garde-moteur pour les tenir au chaud, l'air du large, le cruchon de rhum auquel on puisait sans trop de retenue. Après quatre jours de ce régime, Blaise annonça qu'il coucherait avec son fils sur le pont. La nuit était invitante. Le troisième larron décréta qu'il en ferait autant. Nastasie avait étendu sa paillasse dans son coin de cuisine. Elle s'y retira de bonne heure. Tim aussi finit par aller se coucher, seul dans la cabine. Vers les onze heures, Blaise qui ne dormait pas encore, prétexta un trou qu'il avait dans l'estomac, pour aller chercher un bout de pain à la cuisine. Il en revint, les mains pleines, en disant d'un air entendu qu'on pouvait prendre ce qu'on voulait dans le garde-manger puisque la paillasse de Nastasie était déserte.

Aux abords de New York, l'équipage de *L'Émilie* se sentit une joie d'enfant. Bien peu de Canadiens avaient vu la grande ville. Tim faisait celui que rien n'émeut, mais les autres étaient aussi excités qu'au matin du premier de l'an quand il s'agit d'aller recueillir les sucres d'orge que le bon saint Nicolas a déposés dans les chaussettes pendant la nuit.

Après avoir été chassé à deux reprises de mouillages qu'il croyait pouvoir utiliser sans nuire à personne, Tim finit par obtenir l'autorisation d'accoster un quai de pierres sur lequel on grimpait à même une échelle de fer. Il partit dans New York, muni des deux lettres de Benjamin Levy. Restés seuls avec Nastasie, les hommes regardaient autour d'eux. Le fait de parler le français au pied de ces prodigieux murs de pierres et de briques, parmi les encombrements de marchandises venues de tous les coins de l'univers, leur donnait des frissons délicieux. Six débardeurs à casquettes de cuir entreprirent de faire la cour à Nastasie qui les fit griller à coups de sarcasmes auxquels ils ne pouvaient rien entendre. Une trop courte après-midi passa.

Tim revint, accompagné d'un vieillard élégant. Ce n'était de toute évidence pas la première fois que celui-ci venait sur les quais. Il descendit l'échelle de fer, la canne accrochée au coude, se fit ouvrir une caisse d'anguilles et parut satisfait d'un examen sommaire. Il remonta aussi promptement qu'il était descendu et entraîna Tim à sa suite dans un labyrinthe de rues si encombrées de voitures qu'il fallait se garder, à tout moment, d'être écrasé. L'édifice de la douane était grand comme une église. Un commis inscrivit des chiffres dans un registre et le vieillard paya. Ils se saluèrent dans la rue après que le vieil homme eut remis à Tim une bourse de taffetas noir qui contenait le montant de la transaction. Rendez-vous était pris pour dans un mois.

Ainsi, tout l'été. Au début, Tim et Nastasie avaient cherché à cacher aux autres ce que personne n'ignorait plus; tout les trahissait, une main sur l'épaule, un sourire sans prétexte, une langueur dans les gestes dès la tombée de la nuit. Les trois équipiers avaient tendu un prélart qui les protégeait autant du soleil, le jour, que de la fraîche de la nuit. Juillet et puis août. Le patron et sa bien-aimée descendaient maintenant dans les ports, main dans la main, à l'heure du couchant. Ils avaient l'habitude de se retrouver aux mêmes endroits, dans un hôtel du village d'Essex notamment, sur le lac Champlain, pour y manger en tête-à-tête une soupe de moules, une pièce de jambon fumé dans la cheminée et de la crème glaçée bourrée de framboises ou de mûres. Ils y passaient la nuit et le matin, avant de rejoindre *L'Émilie*, ils se promenaient sur la longue véranda supportée par une forêt de colonnes grecques d'un blanc éclatant, pour admirer la floraison des jardinières.

Fin août cependant, Tim accosta *L'Émilie* au quai de Cournoyer en annonçant qu'il ne retournerait pas à New York. Ses voyages lui avaient ouvert les yeux. Il avait compris qu'une colonie, comme c'était le cas du Canada, était une vache à lait pour la mère patrie. Ce genre d'animal ne reçoit de considération qu'en fonction de ce qu'il donne. Tim s'était mis en tête d'en détourner le processus à son avantage. À cet effet, il avait pris des arrangements à New York avec l'agent de la Brown, Swanson and Company de Liverpool, à laquelle il devait expédier une cargaison de bois canadien.

Il prit congé de Nastasie dont les yeux bleus parlaient toujours de promesses et il déclara qu'il s'accordait quelques jours de repos à l'île Lozeau. La vérité, c'est qu'il ne se passa pas deux jours avant qu'il ne remonte sur la passerelle d'un vapeur en partance pour St.John au Nouveau-Brunswick. Il avait assuré sa droite et sa gauche: sa femme tenait bien en main l'exploitation de la ferme et il s'était arrangé avec le second de *L'Émilie*, Blaise, pour que de nouvelles cargaisons d'anguilles séchées soient dirigées sur New York.

Le Nouveau-Brunswick est le vestibule du Canada. Des côtes rocheuses et des forêts. Le port de St.John n'était ni New York ni Québec, encore moins Liverpool, mais l'Atlantique était à portée de la main pour ainsi dire. Tim se promena quelques jours dans les rues de St.John, les pouces dans les poches de son gilet, fumant à l'occasion un de ses petits cigares, se faisant raser chaque matin dans un nouvel établissement, ne dînant jamais au même endroit et se couchant tard, après avoir écouté les conversations de tout un chacun.

Puis il rendit visiste à un certain Harper qui tenait magasin dans la grand-rue. Il se présenta comme l'agent d'une importance entreprise anglaise qui cherchait des associés. Harper n'était pas né de la dernière pluie. Tim dut donner de la corde, sous forme d'un dîner copieux et d'une soirée passée en famille sous le regard de madame Harper et de quelques enfants pâles. Il finit par obtenir ce qu'il cherchait: l'assurance que le navire qui approvisionnait chaque automne l'établissement Harper — sans doute un sabot douteux — lui serait réservé pour le retour.

Restait à s'occuper du principal, qui consistait à mettre quelque chose dans la cale de ce navire. Là aussi, Tim avait son idée. Il désirait acheter du bois; il négligea pourtant les sociétés qui avaient des bureaux sur les quais. Il s'était fait désigner deux entrepreneurs de petite envergure qui avaient des chantiers assez haut sur la rivière St. John. Le premier lui garantit 500 tonnes, le second un peu moins. C'était exactement ce qu'il lui fallait. L'opération faillit cependant échouer dès le départ. Le navire était prêt à reprendre la mer que le bois n'était pas encore arrivé. Tim dut engager quelques frais pour convaincre le capitaine d'y faire entreprendre d'urgence des réparations.

Les premières 500 tonnes finirent par entrer. On empila le bois sur le pont. C'était plus que suffisant pour compromettre grandement la manoeuvre du navire, sans compter que la charge additionnelle réduisait considérablement le franc-bord. Le capitaine ne semblait pas trop s'en faire; Tim décida de suivre son exemple.

Debout sur la jetée, il regarda le bateau s'éloigner. C'était la première fois de sa vie qu'il voyait un navire prendre le large sur l'Atlantique. Un malaise s'empara de lui. Une phrase pointue comme un couteau: «Ton père est parti sur les mers chercher du pain d'épice pour tous les enfants sages de la terre.»

Il y avait bien longtemps de cela. Hyacinthe Bellerose n'avait plus donné de nouvelles. Tim songeait que son père était sans doute mort. Il ne pouvait évidemment savoir qu'à l'autre bout de la terre, Hyacinthe s'était donné la peine d'apprendre à écrire pour consigner dans un cahier noir le drame qu'il vivait.

***

Si j'entreprends aujourd'hui le récit de mon séjour aux terres australes, usé de coeur et de corps, ce n'est pas pour en tirer une vaine gloriole. Il m'en a trop coûté pour que je ressasse ces cendres dans le seul but de satisfaire un goût de la parade que je n'ai d'ailleurs pas.

J'ai tout appris de la vie, la bonté comme l'injustice, et il m'est apparu à un âge avancé que l'apprentissage de l'écriture pourrait me permettre de réconcilier mes souvenirs et mes sentiments. On comprendra toutefois qu'il était trop tard pour en maîtriser toutes les astuces. Un compagnon d'exil a guidé ma main maladroite.

Certains ont dit que nous étions cent quarante et un, d'autres, cent quarante-trois, ceux du Haut et ceux du Bas-Canada ensemble. Je suis prêt à jurer sur la tête de mon fils que nous étions beaucoup trop nombreux pour l'espace qu'il y avait sur le troisième pont du *Buffalo*. J'étais avec un petit clerc d'avocat, Arthur Langlois. J'avais fait le trajet de la prison au quai en sa compagnie: une de mes mains était menottée à la sienne. Il avait peine à lever les pieds tant il était lourd de larmes. Je marchais pour lui. Quand ils nous ont détachés, dans les profondeurs du *Buffalo*, il n'a plus voulu me lâcher. L'endroit où ils nous avaient mis était une salle plus longue que large mais où personne ne pouvait tenir debout. Un côté de cette salle était fermé par tout un attirail de mâts qui la traversaient de haut en bas, de chaînes et de ballots. Il y avait un passage le long de cet encombrement. Il menait aux écoutilles. Il y en avait une à chaque extrémité de la chambre. L'air, la lumière et la nourriture devaient nous venir de là pendant toute la traversée.

Le long du passage, il y avait un banc et derrière ce banc, des cabanes, c'est le mot qui me vient pour dire ce que c'était: des cabanes sans portes, assez larges pour coucher quatre personnes côte à côte, mais trop basses pour qu'on puisse s'y asseoir. La paroi de la coque du navire formait le fond de la cabane. Les côtés étaient faits de planches si brutes qu'on ne pouvait pas y toucher sans se retrouver les mains pleines d'échardes. Ces cabanes faisaient toute la longueur de la salle. Mais ce qu'il faut dire avec beaucoup de conviction, parce que certains pourraient refuser de le croire, c'est qu'il y avait une deuxième rangée de cabanes par-dessus la première. Des cages comme pour les lapins. Quand nous sommes descendus pour la première fois sur le troisième pont, il y avait tellement de monde, les prisonniers, leurs maigres bagages, les soldats, et le passage était si étroit, du côté des mâts, que nous n'avons pas eu de peine à comprendre ce que les soldats nous disaient en anglais; les premiers arrivés, et j'étais de ceux-là, sont montés dans les cabanes du haut avec leurs affaires.

Le petit Langlois ne m'avait pas lâché. Il y avait aussi deux vieux que je ne connaissais pas dans notre cabane. On ne pouvait pas s'asseoir du côté où c'était ouvert, en laissant pendre ses jambes dans le vide, parce qu'alors ceux d'en bas auraient été enfermés derrière une forêt de jambes. C'était très bas. Nous étions roulés en boule. Un des vieillards était allongé, les pieds sur la coque du navire, la tête vers l'ouverture et c'était sans doute la position la plus confortable. Nous regardions nos compagnons entrer à leur tour dans les cages. Ceux qui traînaient trop dans le passage avaient droit à un coup de pied ou de crosse de fusil dans les reins. La descente par les échelles des écoutilles, puis l'installation où chacun traînait ses affaires avec lui, tout cela avait fait grand bruit. C'était silence maintenant. On entendait les bottes des soldats marteler le plancher. D'autres personnes sont descendues. Un vieux avec des favoris gris. C'était le docteur du bord. J'ai oublié son nom. Il avait pour mission de nous garder en vie pendant la traversée. Un officier est venu nous dire que les soldats avaient reçu l'ordre de tirer sur le premier qui ferait un geste sans en avoir obtenu la permission. Puis un gros personnage à la face toute rouge nous fut présenté. Henkley. Il se disait un marchand du Haut-Canada. Il allait là où nous allions pour faire des affaires. Ce ne devait pas être un marchand très prospère, puisqu'il avait accepté de nous porter notre nourriture pour payer son passage. C'est alors qu'on se mit à jeter les paillasses par les écoutilles. Une pour chaque cabane. C'étaient des paillasses informes, plutôt minces, recouvertes d'un tissu gris assez malodorant, que les soldats roulaient le plus serré qu'ils pouvaient et qu'ils nous poussaient dans la face. Nous étions quatre avec nos bagages dans chaque cabane. La paillasse n'avait pas sa place. Les premiers qui eurent l'idée de sortir de là pour étendre la paillasse reçurent des coups de crosse de fusil. Les autres comprirent vite qu'il valait mieux s'arranger comme on pouvait, sans descendre.

Le petit Langlois et moi, nous nous étions mis d'un côté. Les deux vieux étaient en face de nous. Chacun était recroquevillé sur son bagage. Il fallait travailler de concert, tirer quand les autres poussaient et soulever un pied pour glisser un coin de la paillasse dessous. Les vieux n'avaient pas l'air de comprendre la manoeuvre. C'étaient deux vieux qui ne faisaient déjà plus partie de notre monde. C'était du moins ce que je croyais, mais je me trompais. Il fallut beaucoup de temps pour venir à bout de cette opération. Une fois la paillasse étendue, on se rendit compte qu'elle n'était pas beaucoup plus confortable que les planches de la cabane. On ne devait pas tarder à découvrir qu'elle était aussi infestée de vermine.

Quand tout fut en place, monsieur Henkley nous dit qu'il allait nous apporter à souper. L'officier nous fit distribuer à chacun une tasse de fer; quelques-uns attendaient le reste du service, une écuelle, au moins une fourchette ou un couteau, mais il ne vint rien d'autre. Puis l'officier répéta que le premier qui se lèverait sans en avoir obtenu la permission s'exposerait à être abattu. Il s'en allèrent tous et ce fut le premier moment où les prisonniers furent seuls entre eux.

Nous avions compris, aux bruits que nous avions entendus, que d'autres gens comme nous s'étaient installés de l'autre côté de la cloison de ballots à travers lesquels passaient les mâts et les chaînes. C'étaient les révoltés du Haut-Canada. Ils n'avaient pas réussi à combiner leur soulèvement avec celui des Patriotes du Bas-Canada. Même dans la punition, ils restaient à part. Le bruit de la vie avait recommencé à se faire dans nos quartiers. Une cinquantaine d'hommes qui murmurent et qui bougent en même temps. Un souffle comme dans une étable en hiver. Toutes mes possessions étaient dans ma poche de loup. Elle était plutôt plate. Je la mis contre la paroi de tête pour m'en faire un oreiller. Le jeune Langlois avait une petite valise de cuir. Il la glissa sous la paillasse de la même façon. Les deux vieux restaient assis, ou plutôt recroquevillés. Il suffisait que je m'allonge pour que le petit Langlois en fît autant. J'étais sur le point de descendre le plus profondément possible en moi; Langlois m'en empêcha. Il ne me lâcha pas de toute cette première nuit. Il pleurait sur mon épaule, puis il semblait reprendre ses sens, mais il se jetait encore une fois sur moi et je devais le bercer comme un enfant. Je ne peux pas dire que cette nuit-là fut trop dure pour moi. La douleur de Langlois étouffait la mienne.

Nous sommes restés cinq mois sur ce bateau. La terre, avec son herbe, ses arbres et ses collines était un si vague souvenir que nous en venions parfois à douter de nous-mêmes. Chacun était son propre bourreau. Il suffisait pour cela de faire surgir de sa mémoire un visage aimé ou de se répéter à voix haute des paroles précieuses.

Le navire geignait dans la nuit. Nous étions constamment roulés les uns sur les autres. On nous avait distribué des couvertures. Deux par cabane. Nous avions donc une couverture pour deux. J'ai fait la traversée avec le petit Langlois dans les bras. Il se serrait sur moi comme si j'avais été sa mère. Je lui mettais la main sur l'épaule et une procession de morts et de vivants se levait dans ma tête. Je pressais Langlois et c'était pour m'empêcher de sangloter. Dieu s'est mépris quand il a fait l'homme. Je le sais maintenant. Il ne fallait pas lui donner une tête et un coeur en même temps. Souffrir n'est rien, et je sais de quoi je parle, mais ce qui est insupportable, c'est de dire que cette souffrance ne sert à rien, qu'elle ne comptera jamais pour des écus dans la bourse de quiconque et que ceux qui vous l'on infligée vous ont déjà oublié au moment où vous souffrez le plus. Le coeur, c'est fait pour pleurer, la tête pour se demander pourquoi Dieu permet ces choses.

Certains d'entre nous virent un signe de l'au-delà dans la tempête qui s'éleva quelques jours après notre départ. Elle dura toute une semaine. Nos têtes cognaient sur les murs. Certains étaient projetés dans le passage et roulaient contre les mâts et les ballots. Et surtout le mal de mer gagna la plupart d'entre nous. On croit savoir que le pire de ce mal est qu'il vous force à vomir alors que vous n'avez plus rien dans l'estomac. C'est compter sans l'odeur. La tempête était si forte que le navire se tenait alternativement dans toutes les positions et que même pour un homme valide, marcher dans le passage aurait été impossible. Il y avait un seau sous chacune des écoutilles et nous faisions là nos besoins ordinaires, à la vue de tout le monde d'ailleurs, mais dès le premier jour de la tempête, le chemin pour s'y rendre fut si maculé de déjections que personne ne songea plus à y retourner. Quatre, cinq, six jours à nous rouler dans nos vomissures et nos excréments, sous des couvertures lourdes de nos déchets. Il faisait pourtant si froid que nous nous les remontions malgré tout jusqu'au menton. L'enfer doit avoir meilleure odeur.

La pire souffrance était encore pour ceux qui appelaient la mort et à qui Dieu la refusait pour une raison que j'ignore. J'ai vu des hommes tendre le poing vers les cieux, d'autres ouvrir une bouche muette pour laisser s'échapper une souffrance qui ne se disait plus. Comme quelques-uns, j'aurais sans doute réussi à contenir le mal, si ceux qui étaient avec moi dans la cabane n'avaient pas tour à tour, et quelquefois deux et même trois en même temps, déversé le contenu de leurs entrailles sur moi. Nous ne pouvions faire autrement. Le navire se renversait si brusquement que nous nous retrouvions tous les quatre les uns par-dessus les autres dans un même coin. Tout ce temps sans boire ni manger.

Les premiers jours, monsieur Henkley étant lui-même malade, des soldats s'entêtèrent à nous porter le seau de bouillie d'avoine froide qui nous tenait lieu de repas. Il ne venait à personne l'idée d'y plonger sa tasse. Les soldats se contentèrent alors, pendant tout le temps que dura la tempête, de nous distribuer des biscuits de mer que nous ne pouvions pas manger non plus, mais que nous cachions sous nos paillasses en vue de jours meilleurs. Mais qui croyait encore que nous pourrions survivre? Aucun d'entre nous, à l'exception d'un ou deux, n'avait jamais mis le pied sur le pont d'un navire autrement que pour aller de Montréal à Québec, peut-être, et encore, n'avions-nous navigué pour la plupart que sur les barques des rivières ou pour traverser le fleuve. Qui pouvait nous dire que les soubresauts de notre bateau n'étaient pas le signe d'une catastrophe imminente? Comment pouvions-nous croire, gens de la terre, qu'un navire puisse traverser une tempête comme celle-ci et poursuivre sa route par la suite avec un minimum d'avaries? Je n'ai jamais su pourquoi ni comment nous ne sommes pas tous morts pendant la traversée.

La tempête finit par s'apaiser. Le médecin de bord passa la tête par l'écoutille et parut satisfait d'apprendre que nous étions tous vivants. Pendant les jours qui suivirent, on nous fit monter sur le pont par petits groupes. Nous y restions deux heures, le temps de nous faire à l'idée que le navire avait bel et bien atteint la haute mer. On nous donna des seaux pleins d'eau salée et une poignée de sable blanc pour laver nos affaires.

Des mois passèrent. Nous ne le savions pas. Une seule journée interminable s'écoulait depuis que nous avions mis le pied sur le *Buffalo*. Personne parmi nous ne connaissait vraiment notre destination. On nous avait dit que notre condamnation à mort avait été commuée en exil à perpétuité. Nous avions appris qu'on nous emmenait en Australie et que c'était à l'autre bout de la terre. Nous devions en approcher puisqu'une chaleur épaisse coulait des murs de nos cabanes. Nous n'étions pas plus confortables sur le pont extérieur que dans les ténèbres d'en bas.

Le navire jeta l'ancre un matin. Le coeur nous battait. Nous étions plusieurs, debout dans le passage, à nous embrasser. Les soldats chargés de notre surveillance se moquaient de nous. L'un d'entre eux, un petit jeune homme, finit par nous révéler que nous étions loin d'être arrivés en Australie, que nous avions tout au plus la moitié du chemin de parcouru et que nous faisions relâche à Rio, une ville de l'Amérique du Sud. J'ai contemplé Rio du pont du navire. Je croyais que l'Amérique du Sud était un continent perdu où tout restait à faire. J'avais devant moi une cité comme celles qu'il m'avait été donné de voir, à quelques reprises, sur des tableaux. La splendeur de l'Europe. Je sais qu'à cette vue, plusieurs de mes compatriotes louèrent le ciel de les avoir menés sur la route de l'exil. Ils crurent aller vers un monde meilleur que celui qu'ils avaient laissé.

Le *Buffalo* avait repris sa navigation périlleuse. La plupart de ceux qui étaient enfermés sur le troisième pont ne le savaient pas, mais ils étaient en train de faire presque le tour de la terre. Ce fut du moins ce que me révéla un des vieux qui partageait ma cabane. Il passait son temps à faire et à défaire des calculs dans sa tête, comme si notre navigation pouvait dépendre de l'exactitude de ses déductions. Faute d'autre moyen, il comptait les jours en jetant chaque matin un grain de son chapelet dans une bouteille. Ses provisions épuisées, il recommença l'opération en tenant compte du fait que nous avions déjà un tour de chapelet derrière nous.

Nous en étions à un peu plus de cinq chapelets quand le jeune soldat qui s'était montré aimable envers nous depuis le début de la traversée nous révéla, un soir, que nous étions en vue de la Tasmanie. Nous étions en février et la chaleur nous tourmentait comme en plein mois de juillet au Bas-Canada. Le vieux ne cessait de nous répéter que c'était dû au fait que le continent où nous allions se trouvait à l'envers de la terre. Nous l'écoutions avec respect, mais non sans hocher la tête. La nuit fut longue. Le matin amena toute une agitation de l'autre côté de la cloison de ballots, de mâts et de chaînes. Monsieur Henkley nous dit que les exilés du Haut-Canada s'apprêtaient à débarquer. Cette nouvelle nous fit tirer nos affaires de sous nos paillasses. On entendit ceux de l'autre salle monter, puis le silence retomba. Nous nous attendions d'un moment à l'autre à être invités à grimper sur le pont supérieur, mais toute la journée coula sans qu'on vînt nous chercher.

Cette deuxième nuit fut pire que la première. La moitié des hommes ne dormaient pas. Les soldats de la garde ne semblaient pas entendre le murmure des conversations. Le navire reprit sa course au petit matin. Le coeur me battait comme à tous ceux de la chambrée. On en venait à se demander quelle justice nous avait condamnés à errer sans fin sur toutes les mers du monde. Le vent avait forci. Le bateau ballottait. Des hommes, debout dans le passage, interrogeaient les soldats. Ils furent repoussés sans ménagement dans leur cabane. Les écoutilles se refermèrent. Nous n'avions plus que nos respirations pour répondre à nos questions. On se demandait ce qu'on avait fait de pire que ceux du Haut-Canada pour n'être pas autorisés à descendre avec eux. Et je sais, parce que ce sentiment m'effleura, que nombreux furent ceux qui maudirent la terre entière cette nuit-là.

Nous naviguâmes une autre journée puis le navire mouilla l'ancre à nouveau. C'était en fin d'après-midi. Cette fois, on nous fit monter sur le pont, mais sans nos bagages. Nous devenions fous de questions. Et là, soudain, en passant la tête par l'écoutille, la terre! La nôtre, peut-être. Celle qu'ils nous donneraient. C'était une alternance de falaises qui montraient les dents et de plages au fond des baies. Un pays du bout du monde, tout cerné par l'écume de la mer. Le soleil se couchait et la brise de terre nous apportait de fortes odeurs de fumées mêlées au brouillard fin qui ne cachait rien. La terre qui se dressait devant nous semblait être sous l'entière domination de la mer qui y pénétrait de toutes parts. On aurait pu croire que nous étions parmi des îles de taille considérable. Les soldats nous forçaient à déambuler sur le pont, deux par deux. Nous marchions la tête dans le dos.

Le petit Langlois attira soudain mon attention. Il venait d'apercevoir sur un promontoire à tribord, un peu à l'écart du brouillard qui sentait la fumée, un petit groupe d'hommes qui avaient l'air d'arracher des pierres à la falaise. En regardant bien, on pouvait voir d'autres hommes, attelés à quatre, tirer des charrettes sur lesquelles ces pierres étaient posées. D'où nous étions, ils avaient l'air de fourmis et leur labeur de bien peu de conséquence.

C'est ce soir-là que nous avons reçu la première visite de l'évêque d'Australie. C'était un grand homme maigre et chauve, à toutes petites lunettes rondes et qui semblait très sûr de l'importance de sa personne. Il descendit l'échelle de l'écoutille, la soutane relevée aux genoux, précédé d'un petit prêtre dévoué et de deux soldats qui leur faisaient de la lumière. On apprit que ce monseigneur se nommait Spalding, qu'il avait la charge de toutes les âmes catholiques des terres australes, que le petit prêtre qui l'accompagnait était son secrétaire, l'abbé Monty, et qu'ils n'avaient rien eu de plus pressé à faire, apprenant notre arrivée, que de venir à notre rencontre pour nous apporter le réconfort des grâces dont ils étaient dépositaires.

C'était vrai qu'il fallait avoir de bien bonnes raisons pour rejoindre le navire qui était toujours à l'ancre à une assez bonne distance de la terre sur une mer plutôt mauvaise. L'évêque ne perdit pas de temps et annonça qu'il allait nous confesser, tous, jusqu'au dernier, de telle sorte qu'une fois lavés de nos péchés, nous pourrions entendre le saint sacrifice de la messe et communier. Il n'eut pas de mal à nous convaincre qu'après les événements qui avaient entraîné notre condamnation à l'exil, nous avions grand besoin de confesser nos péchés.

Il se mit à l'oeuvre sur le champ. Un soldat apporta un tabouret et Monseigneur s'assit sous l'écoutille. L'abbé Monty se tenait à ses côtés. Le soldat tira de la poche de sa vareuse la liste des pensionaires du troisième pont et il appela le premier nom à voix haute. La cérémonie avait de quoi surprendre. Celui qui se confessait se mettait à genoux devant l'évêque, mais c'était l'abbé Monty qui l'entendait, après quoi le petit prêtre se tournait vers son supérieur pour lui répéter à l'oreille, en anglais, ce que l'autre venait de lui dire en français. De cette façon, l'évêque catholique des terres australes pouvait confesser des gens dont il ne connaissait pas la langue. Il fit de même une partie de la soirée et nous annonça, avant de nous quitter pour la nuit, qu'il reviendrait finir sa besogne le lendemain. Quelqu'un objecta qu'on nous ferait sans doute descendre au matin. L'évêque avait l'air de savoir qu'il ne perdrait pas son temps en remontant sur le navire le lendemain. Ce qu'il fit.

Il confessa toute la matinée de ce deuxième jour. Nous ne pouvions nous empêcher de nous demander pourquoi on ne nous envoyait pas à terre. Quelqu'un demanda à l'abbé Monty de faire part à l'évêque de notre inquiétude à ce sujet. Monseigneur nous fit répondre que nous avions là un juste sujet de préoccupation car le gouverneur hésitait encore, à ce qu'il avait appris, à nous accorder asile sur le continent. Il songeait, toujours selon monseigneur Spalding, à nous envoyer sur une île au large, de façon à ce que nous ne puissions pas répandre parmi l'honnête population de l'Australie les idées révolutionnaires qui nous avaient menés là. Il s'éleva une protestation unanime dans toute la chambrée. Monseigneur l'apaisa en disant qu'il allait rendre visite personnellement au gouverneur et lui faire part de nos bons sentiments. L'évêque s'en alla avec son secrétaire et les écoutilles se refermèrent sur nous comme si nous avions été en pleine mer.

Troisième nuit. J'avais une idée qui me faisait mal. Elle ne me lâchait pas comme un chien qui a mordu les hauts-de-chausse de quelqu'un. À l'aube, j'avais acquis la conviction que l'évêque avait tenu à nous confesser personnellement pour pouvoir aller répéter nos péchés au gouverneur.

Le navire leva l'ancre en matinée et pénétra dans la baie profonde qui s'ouvrait devant nous pour aller mouiller enfin sous les murs de Sydney. On nous fit prendre nos affaires en hâte comme si quelque chose pressait maintenant et on nous rassembla sur le pont supérieur. En posant le pied dans la chaloupe, le petit Langlois me prit par le bras et, me regardant intensément dans les yeux, il me fit jurer que je ne me séparerais pas de lui, quoi qu'il advienne.

La terre sur laquelle on nous débarqua n'avait rien de familier. Certains arbres, entre autres, avaient des racines qui leur pendaient des branches et qui s'en allaient pénétrer dans le sol. Mais le port de Sydney ressemblait à tous les ports du monde en ce qu'il était encombré de marchandises et de gens. Les soldats qui nous accompagnaient nous firent aligner sur un quai de bois, ils nous comptèrent puis nous ordonnèrent de monter dans une embarcation assez grande pour nous contenir tous, avec nos bagages. La baie se mit à rétrécir aux proportions d'une rivière. On nous dit que c'était la rivière Parramatta. La ville de Sydney n'avait été qu'une apparition dont nous ne saurions rien. La barque remontait le cours de la rivière en louvoyant. Nous avions cru comprendre qu'on nous emmenait à un endroit appelé Long-Bottom.

Long-Bottom était en pleine brousse. On nous dit pourtant que plus à l'intérieur des terres, il y avait une ville qui poussait et qui s'appelait Parramatta, du nom même de la rivière sur laquelle nous avions navigué. Nous devions nous employer à la construction d'une route qui y mènerait.

Le quai de Long-Bottom était d'assez bonnes dimensions. Quand notre barque accosta, les soldats nous laissèrent entre les mains d'une vingtaine d'hommes qui nous regardaient en fronçant les sourcils. Nous avons su plus tard que c'étaient aussi des soldats, mais ils avaient plutôt l'air de prisonniers bien traités que de militaires. Ils n'avaient pas d'uniformes. Leurs chapeaux étaient les plus étranges chapeaux qu'il m'ait été donné de voir, avec un rebord si large que l'ombre qu'ils faisaient leur cachait tout le visage. Certains avaient des pistolets à la ceinture. L'un d'entre eux avait un rouleau de corde sur l'épaule et je ne le vis pas autrement qu'avec son rouleau de corde pendant tout le temps que je passai à Long-Bottom. Un homme se détacha. Il vint vers nous en prenant bien son temps.

Il se nommait Walton et il était le surintendant de l'établissement. Au ton qu'il prenait pour le dire, on pouvait déduire que ce devait être une peine que de diriger Long-Bottom. L'officier qui nous avait laissés entre ses mains lui avait remis un document établissant qui nous étions. Walton fit l'appel, puis il ordonna à ceux qui savaient lire et écrire d'aller se ranger sur la berge. Plusieurs d'entre nous restèrent sur le quai. Nous savions ce qui nous attendait. Ceux qui ne savent ni lire ni écrire sont toujours attelés aux tâches les plus ingrates, sous toutes les latitudes de la terre. Langlois était indécis. Il me regardait du coin de l'oeil. Nous avions convenu de ne pas nous séparer. Je le vis cependant se détacher de notre groupe et s'en aller la tête basse, sa petite valise de cuir à la main, rejoindre ceux dont il préférait partager le sort.

Nous étions maintenant deux groupes d'à peu près égale importance. Walton nous divisa encore de façon à former quatre sections, deux sur le quai et deux sur la berge. Puis il désigna un homme qui serait responsable de la conduite de chacun des groupes. Je ne fis rien pour cela, mais il me remarqua. C'est ainsi que je pris la charge d'un petit troupeau d'illettrés canadiens envoyés par la justice de leur pays à l'autre bout des mers casser des pierres pour le bénéfice du gouvernement de l'Australie.

Après avoir choisi les responsables, le surintendant accompagna à tour de rôle chaque contingent dans ses quartiers. Le camp de Long-Bottom était composé de quatre bâtiments bas, de planches brutes, à toit incliné, dans chacun desquels il n'y avait qu'une vaste pièce sans meubles. Pour accéder à la cour intérieure, il fallait franchir un passage pratiqué dans la caserne des soldats. Les portes et les fenêtres des logements donnaient sur la cour. Il y avait aussi une section de bâtiment qui servait à remiser les outils et une autre qui était aménagée assez sommairement pour tenir lieu de cuisine.

Quand je pénétrai avec mon groupe dans notre logement, précédé du surintendant Walton, j'éprouvai le sentiment absurde d'être enfin arrivé chez moi. J'étais aussi loin qu'on pouvait l'être de mon pays, au terme d'une navigation de cinq mois, condamné aux travaux forcés, mais je n'en étais pas moins content de poser ma poche de loup quelque part, de m'appuyer dessus et de fermer les yeux.

Il n'y avait pas de lits. Chacun coucha sur le plancher, recroquevillé sur sa chaleur. On était en mai. Comme tout était contre nous, on allait vers la saison froide. La nuit était fraîche. On entendait dans la forêt tout autour le cri de bêtes dont nous ne pouvions pas imaginer la forme. Avant de nous taire pour la nuit, nous avions convenu de ce qu'il fallait faire: obéir, ne pas riposter aux bravades, ne rien demander. Mes compagnons étaient disposés, comme moi, à dépenser leur fatigue sans compter, en échange d'un peu de tranquillité.

Faut-il que je précise ce que c'est que de ne pas manger à sa faim, de se lever avant le jour et d'aller au-delà de forces qu'on n'a plus? Nous passions nos journées dans une carrière qu'il y avait à proximité du camp, à casser des cailloux, à les transporter au bord de la rivière dans des brouettes et là, à les broyer plus finement encore puis à les charger sur des barges qui emporteraient le tout au chantier de la route. Le surintendant nous avait fait distribuer des habits. C'étaient d'amples vêtements sans forme sur lesquels étaient inscrites les initiales de notre camp. Nous nous surprenions à nous observer, étranges insectes gris avec le nom de notre colonie sur le dos.

Deux d'entre nous avaient été assignés à la cuisine. La nourriture, peu abondante, ne nous paraissait pas trop mauvaise. On nous distribuait du tabac. Nous avions deux médecins parmi nous, mais pas de remèdes, plus de notaires que nous n'en aurions jamais besoin de toute notre vie et des avocats en quantité pour plaider une cause perdue d'avance.

Les soldats ne nous regardaient pas avec plus de considération qu'à notre arrivée, mais ils ne semblaient pas juger non plus qu'il valait la peine de nous en imposer. Était-ce parce qu'ils s'étaient aperçus que nous avions décidé de bien travailler ou parce qu'ils savaient que toute tentative d'évasion était vaine dans une jungle dont même les animaux nous étaient inconnus? Quoi qu'il en fût, ils ne nous surveillaient guère. Le surintendant Walton se désintéressait complètement de notre sort. Il passait ses journées et ses nuits à vider des cruchons de rhum avec des soldats, ou étaient-ce des officiers, nous n'aurions pu le dire.

La vie se faisait encore à coups de souffrances. C'étaient des douleurs qui nous venaient quand, soudain, au milieu du fracas des pics et des masses qui s'abattaient sur les pierres, nous entendions une voix d'enfant nous appeler par notre nom. C'étaient des brûlures par tout le corps en nous éveillant en sueurs, par les nuits les plus fraîches, parce qu'il nous avait semblé que la femme aimée venait de se pencher sur nous. Chacun tisse son mal à sa façon. Les Canadiens d'Australie n'étaient pas différents des autres. Ils ne l'étaient pas non plus pour ce qui est de la bousculade que s'imposent toujours les humains pour se disputer des privilèges.

Au camp de Long-Bottom, ceux-ci pouvaient prendre des formes qui auraient pu paraître absurdes en d'autres circonstances: aller puiser l'eau dans la cour ou sortir chercher quelques branches pour le feu de la cuisine. Le surintendant avait fini par s'apercevoir que nous n'avions pas de lits. Il finit par faire ce qu'il aurait sans doute dû faire depuis longtemps déjà et on nous en avait envoyé de Sydney. Il y en avait de toutes sortes: on se disputa les meilleurs sous les prétexes les plus divers, que certains firent même remonter au temps où nous étions encore au Bas-Canada.

Le petit Langlois s'était rendu compte qu'il avait agi inconsidérément en se rangeant dans le camp de ceux qui savaient lire. Il n'en avait tiré aucun avantage, le surintendant s'étant sans doute rappelé après coup que cette distinction n'avait rien à voir avec le métier de casseur de pierres. Il vint me trouver un soir, piteux, pour me demander si je lui en voulais beaucoup. Il me demanda de jurer une fois de plus que nous serions ensemble jusqu'au bout, quoi qu'il advienne, et il s'en retourna, apparemment soulagé, retrouver ceux de son quartier.

Comme si la visite de Langlois avait éveillé d'anciens fantômes, monseigneur Spalding arriva un dimanche midi, un étrange chapeau sur la tête d'où pendaient des volants de gaze pour le protéger des moustiques. Les plus pieux d'entre nous s'empressèrent de vider la remise où nous mettions nos outils et nos brouettes, de façon à ce que l'évêque puisse y célébrer la messe. Il n'y eut pas de confessions cette fois. Le secrétaire de Monseigneur, l'abbé Monty, nous fit comprendre qu'il serait de mise d'offrir une réception à un si haut personnage. Une bonne partie des provisions de notre souper y passa.

Monseigneur mangeait à la cuisine. Nous nous bousculions pour le voir et l'entendre. Il interrogeait ceux qui se trouvaient à sa portée sur le sort que nous connaissions à Long-Bottom. Après en avoir assez entendu, Monseigneur nous dit qu'il s'était entretenu avec le gouverneur à notre sujet. Ce dernier n'était pas mécontent de notre conduite. La colonie hébergeait les pires criminels de la terre. Il avait été heureux de constater que nous n'étions pas de cette race. Nous avions certes commis une faute grave en nous soulevant contre l'autorité de notre pays, mais cela ne faisait de nous ni des voleurs ni des assassins. Dans ces circonstances, il n'était pas exclu que l'Angleterre nous accorde éventuellement notre pardon. Le gouverneur ne voyait pas d'un mauvais oeil l'idée d'une ambassade à Londres à cette fin et il croyait que monseigneur Spalding lui-même pouvait être la personne toute désignée pour remplir cette délicate mission. N'était-ce pas lui qui avait la charge de l'âme de tous les catholiques du continent? Nous en étions. L'affaire qui nous y avait emmenés étant de nature politique, il valait mieux envoyer à Londres quelqu'un qui fût à l'écart de ces questions. Monseigneur Spalding avait répondu qu'il y réfléchirait. Il avait tenu à nous consulter. La démarche, si nous décidions de la tenter, pouvait être longue et coûteuse.

Il poursuivit en exposant sommairement ce qu'il faudrait dire et ne pas dire à Londres, mais je sais que personne ne l'écoutait plus. Les coeurs battaient trop fort pour qu'on pût l'entendre. Un des vieux qui avait fait la traversée dans la cabane que j'occupais sur le troisième pont du *Buffalo* sortit brusquement et revint en courant, brandissant son livre de prières au bout du bras. Nous en étions à nous demander si la perspective de rentrer un jour sur les rives du Saint-Laurent ne l'avait pas dérangé, quand il finit par tirer de la reliure de son livre deux pièces d'or qu'il tendit à l'évêque. C'était tout ce qu'il possédait, mais il se disait disposé à investir sa fortune dans l'ambassade si Monseigneur voulait bien s'en charger. D'autres firent de même. L'évêque compta ses sous et dit, en nous quittant, que c'était encore bien peu pour payer le passage à Londres, mais que la Providence veillait sur nous.

Les jours sont faits pour sonner l'un après l'autre comme une volée de cloches. C'est le coeur de l'homme qui leur sert de battant. Si le coeur n'y est pas, les jours sont tristes.

Nous nous levions le matin, épuisés par des nuits sans fond. Nous allions par petits groupes à la cuisine, tandis que ceux qui avaient déjà mangé s'assemblaient dans la cour. Puis nous partions pour la carrière, les outils dans les brouettes et quelquefois les plus vieux avaient le privilège de s'y asseoir. Nous passions la journée à casser des pierres et à les transporter au bord de la rivière.

Au début, quelques soldats armés nous accompagnaient à la carrière mais on ne les vit plus après quelque temps. À force de mettre des bouts de phrases ensemble, celles de l'évêque, celles de nos gardiens et celles des bateliers qui venaient prendre la pierre au quai de Long-Bottom, nous avions compris qu'à moins d'écarts de conduite, le sort de tous les proscrits envoyés en Australie allait en s'adoucissant constamment. Certains bourgeois et marchands qui faisaient aujourd'hui la prospérité de la colonie étaient les forçats d'hier. Nous avions du mal à comprendre les raisons d'un tel système, mais il était devenu si évident que nous n'en doutions plus. Quant à nous enfuir dans la brousse, il ne fallait tout simplement pas y penser. Des bêtes maléfiques la gardaient mieux que tous les geôliers des prisons d'Angleterre. On nous avait parlé, et certains d'entre nous les avaient vus, d'animaux difformes deux fois plus grands qu'un homme, aux pattes de derrière trop longues, tandis que celles d'en avant ne l'étaient pas assez, si puissants cependant qu'ils pouvaient prendre un mouton ou un homme dans leurs bras et s'enfuir en l'emportant, à grand bonds fantastiques, vers une mort certaine. Le plus étonnant était que ces animaux ne se nourrissaient pas de leurs proies; ils les enlevaient pour le seul plaisir d'aller les noyer ou les jeter du haut des falaises. Si on ajoute à cela des serpents embusqués dans les arbres et toujours prêts à nous sauter dessus, on comprendra que la brousse n'ait eu aucun attrait pour nous. Et pourtant il n'était pas inutile de tenir des palabres chaque soir dans notre chambrée.

J'avais été désigné pour être responsable de la conduite des hommes qui partageaient le même bâtiment que moi. Je ne prenais aucun plaisir à cette occupation, mais je ne m'y dérobais pas non plus. Elle consistait essentiellement à départager les querelles qui avaient pu surgir au cours de la journée, à propos d'une poignée de fruits sauvages ou d'une bêche qui avait été laissée là où elle ne devait pas se trouver. Assis dans la cour, quand le temps le permettait, ou sur deux lits côte à côte, nous repassions les règles que nous nous étions fixées: ne rien faire qui puisse attirer l'attention sur nous et donner chaque jour une pleine mesure de notre labeur. Nous avions convenu que c'était la seule façon de ne pas ajouter nous-mêmes à nos tourments. Mais l'application de cette règle n'allait pas sans murmures et je finis par craindre que la relâche de nos gardiens n'entraîne chez certains le goût de se lancer dans des entreprises insensées. Chacun de nous avait été condamné à être pendu parce qu'il avait jugé, le temps venu, que la révolte était plus juste que la soumission.

Fallait-il s'attendre à ce que nous ayons tous changé d'avis parce que l'exil avait remplacé la pendaison? Certains en gardaient un tel ressentiment que nous ne nous sentions pas en sûreté chaque fois qu'ils allumaient leur pipe, tellement ils avaient un baril de poudre à la place du coeur.

Pour ma part je n'avais pas changé non plus: j'étais plus que jamais convaincu de la nécessité de la révolte contre la misère et l'injustice, mais j'en cherchais les moyens ailleurs que dans mes deux poings. Les auteurs de l'injustice s'arrangent toujours pour avoir la force de leur côté. Aux autres, il ne reste que la patience. Nous n'en étions pas tous pourvus également.

Une nuit de mauvais sommeil, je me rendis compte que quelques lits étaient vides à mes côtés. Je sortis sur la pointe des pieds. C'était une nuit froide de juillet. Il était toujours surprenant d'associer les mois que nous avions coutume de considérer chez nous comme ceux de l'été avec la saison froide du pays où nous étions. La nuit bruissait d'étoiles. L'une d'elles attira mon attention: c'était un bon feu qui flambait dans la cheminée de la cuisine. Je m'approchai sans bruit et regardai à la fenêtre. Une poignée d'hommes, pipe aux dents, assis sur les bancs de la table, écoutaient l'un d'entre eux les haranguer.

C'était mon ami Langlois. Il n'était pas besoin de l'entendre pour savoir ce qu'il disait. Toutes les têtes se tournèrent vers moi quand j'entrai et Langlois se tut. Ils étaient tous très mal à l'aise. Langlois m'expliqua que ces gens-là ne pouvaient pas dormir tant il faisait froid dans leur chambrée; je lui répondis que la nuit ne devait pas être confortable non plus dans les profondeurs de la brousse. Je les laissai à leur stupeur. Langlois me le rendit bien quand je l'aperçus, à quelques temps de là, en conférence avec le surintendant dans la cour. Peu de temps après, un homme s'évada. Il fut repris au bout de deux jours par les soldats qui étaient partis à sa recherche et fouetté devant tout le monde. C'était un fils de cultivateur d'un des villages qui prospèrent dans la plaine des abords de Montréal. Il hurla comme un cochon qu'on égorge et il ne put quitter son lit de toute une semaine. Je n'eus pas de peine à faire le rapport qui s'imposait entre ce que j'avais découvert une nuit à la cuisine et le geste désespéré d'un de ceux qui s'y trouvaient.

Peu de temps après, Langlois nous réunit tous dans la carrière pour nous faire part d'une grande nouvelle: il avait trouvé le moyen de nous assurer notre retour au pays. Il commença par nous demander si nous n'avions pas été intrigués par le fait que certains d'entre nous aient été employés à couper du bois plutôt qu'à casser des pierres. Lui, avait fait les déductions qu'il fallait et il avait découvert le subterfuge: le surintendant vendait ce bois à son profit. Langlois en avait eu la confirmation en posant les bonnes questions à l'équipage des barges qui venaient prendre ce bois pour l'emporter à Sydney. Cela n'était peut-être pas de conséquence et ne concernait personne d'entre nous, pouvions-nous croire, puisque c'était une affaire entre le surintendant et sa propre conscience. Nous n'étions dans la situation ni de le dénoncer ni de refuser d'obéir à ses ordres. Mais d'autres conversations avec les bateliers avaient permis à notre clerc d'avocat d'apprendre des choses encore bien plus intéressantes: de tout temps, il s'était tenu à Long-Bottom un petit commerce que nous étions les seuls à ne pas pratiquer. Un commerce au profit des prisonniers. Langlois s'en était ouvert au surintendant, qui avait conclu l'entretien en disant que dans la mesure où personne ne chercherait à s'évader, ce que faisaient les prisonniers la nuit ne le concernait pas.

N'avions-nous pas remarqué que les rives de la Parramatta étaient couvertes de coquillages? Certains d'entre nous n'avaient-ils pas vu, le jour même de notre arrivée, des sacs pleins de ces coquillages appuyés contre le mur de la remise? Et quelqu'un s'était-il inquiété de constater que ces sacs ne s'y trouvaient plus deux jours plus tard? À quoi pouvaient bien servir des sacs de coquillages? Ils pouvaient être vendus aux bateliers qui les revendaient à leur tour à Sydney ou à Parramatta, où on en faisait de la chaux. Il fallait beaucoup de chaux pour dresser tous les édifices d'un continent nouveau. Le sol de l'Australie n'en contenait pas. On la tirait des coquillages. Le surintendant avait dit que ce que faisaient les prisonniers la nuit ne le concernait pas; cela signifiait que nous pouvions tout aussi bien la consacrer à recueillir des coquillages. Langlois en surprit plus d'un en ajoutant qu'il avait déjà conclu des accords avec les capitaines de certaines des barges qui accostaient fréquemment à Long-Bottom, pour que nos sacs de coquillages nous soient payés en bonne monnaie d'Angleterre. Il précisa qu'il s'était institué notre agent dans cette affaire, présumant que nous serions tous d'accord, et qu'il valait mieux le laisser continuer à traiter avec les acheteurs en notre nom à tous.

Les hommes écoutaient Langlois comme s'il avait été Moïse en train de leur expliquer comment il entendait s'y prendre pour les faire sortir d'Égypte et leur faire traverser le désert. Car la conclusion sautait aux yeux: l'argent ainsi recueilli servirait à payer le passage à Londres de monseigneur Spalding, qui irait intercéder en notre nom auprès du gouvernement d'Angleterre.

Les hommes attendirent la venue de la nuit avec l'impatience qu'on a quand on doit aller veiller chez sa bien-aimée. Je les vis s'en aller l'un à la suite de l'autre, le sac plié sur l'épaule, la vision de la fortune dans le regard. Langlois n'avait pas été peu étonné quand j'avais refusé de participer à l'opération. Nous étions quelques-uns dans le même cas, peu nombreux, et Langlois me reprocha d'être à l'origine de leur décision. Je lui dis qu'il n'en était rien et que, pour ma part, je préférais dormir plutôt que de courir après des chimères.

Les premiers jours succédèrent assez bien aux premières nuits, mais les hommes s'épuisèrent vite. Je ne fus pas le moins du monde surpris d'entendre Langlois les inciter à consacrer au moins quelques heures chaque nuit au rachat de leur liberté. Le profit qu'il tirait de l'opération, entre le prix qu'il leur donnait pour chaque sac de coquillages et le montant qu'il en obtenait sur les barges, devait aussi avoir une forte odeur de liberté pour lui.

Les pensionnaires de Long-Bottom finirent ainsi par se diviser en deux camps: ceux qui sortaient la nuit et ceux qui restaient dans leur lit. Les premiers essayaient de faire passer les seconds pour des lâches. Ils y réussissaient parfois, aux yeux de certains du moins. C'était facile. Qu'on se représente des hommes qui n'ont pas nécessairement tous l'habitude des gros travaux, avec moins que ce qu'il faut dans le ventre pour se refaire le sang, casser des pierres toute la journée et le soir, après avoir avalé un ragoût douteux et bu une espèce de café fait avec des grains de maïs qu'on dérobait aux bestiaux, s'en aller dans le brouillard humide se pencher à la lueur des fanaux pour cueillir des coquillages sur les berges de la rivière Parramatta. Avoir tout juste le temps de s'endormir au petit matin avant le lever du jour et recommencer, toujours recommencer, en pensant que le prix de leur peine pourrait être de revoir un jour, peut-être, leur mère, leur femme ou leurs enfants.

Langlois, en tout cas, lui, ne doutait de rien. Il menait grand train dans toute cette affaire. L'étranger qui se serait présenté à Long-Bottom aurait facilement pu croire qu'il était le surintendant de l'établissement. Il distribuait des ordres et des promesses. Il regardait avec mépris tous ceux qui n'étaient pas entrés dans son petit commerce. J'étais le seul de ceux-là avec qui il consentait encore à s'entretenir. Il disait que chacun à notre façon, nous savions garder des secrets qu'il était impossible de partager. Je devinais les siens. Il se trompait peut-être sur les miens, mais c'était un garçon ravagé d'un grand feu et je ne pouvais lui en vouloir de sa conduite.

Les jours et les nuits étaient une marée où nous étions toujours la même mer. Le vieux qui comptait les grains de chapelet nous apprit que nous étions depuis vingt mois en Australie. Je pensais, en l'écoutant, que j'y mourrais probablement. Monseigneur Spalding arriva, un jour qu'il faisait chaud, pour nous assurer du contraire.

Il s'enferma avec Langlois dans la remise où ce dernier avait établi son office. Les deux hommes firent leurs comptes et Monseigneur en ressortit pour annoncer qu'il partait pour Londres dans un mois. Les hommes, rassemblés dans la cour, se mirent à hurler avec autant de satisfaction que si le navire qui devait les remmener en Bas-Canada venait d'entrer en rade. L'évêque leva la main pour imposer le silence. Il tenait à rappeler que sa mission était délicate et, surtout, qu'elle pourrait être longue. On ne l'écouta pas. Il partit en héros.

À quelques jours de là, quand les premières assignations arrivèrent, ce fut le désarroi. Le plus dur de notre peine était accompli et pourtant, plusieurs voyaient arriver le moment de notre séparation comme une échéance redoutable. Nous allions être dispersés, privés du réconfort de partager sa douleur avec ses semblables, mais surtout, comment serions-nous informés, le temps venu, de l'annonce de notre pardon? Langlois dressa une liste de tous nos noms, sur laquelle il inscrirait, au fur et à mesure, les endroits où nous serions envoyés. Il nous assura qu'il se chargerait personnellement de toutes les instructions qu'il faudrait nous faire tenir. Il demandait simplement qu'on le dédommageât des frais que cela pourrait entraîner. Ceux de l'équipe de nuit furent évidemment les premiers à y souscrire. Ils insistèrent pour dire que ceux qui ne cotisaient pas n'auraient pas droit au privilège de recevoir des nouvelles.

Le gouvernement de l'Australie, après nous avoir gardés à son service pendant plus de vingt mois, allait maintenant nous assigner pour six mois à des bourgeois qui devraient nous verser des gages, quarante shillings par mois pour ceux qui avaient un métier, trente pour les autres. Je fus parmi les premiers à partir. Deux soldats étaient venus nous chercher dans une barque à fond plat. On descendit la Parramatta. Sydney était bien comme nous l'avions entrevue à notre arrivée, une grosse ville de briques, de pierres et de mortier au fond d'une baie. Les soldats nous la firent traverser à pied. Montréal ne m'avait pas semblée aussi animée. Les soldats me laissèrent chez mon bourgeois, dans une longue et large rue en pente, bourrée de gens qui allaient et venaient, de charrettes à boeufs et de chevaux. C'était en face de l'hôtel Tricketts, à côté du London Loan Office no 5, une boutique dont l'entrée s'ornait de colonnes de pierres, dans Bridge Street.

Mon bourgeois était un grand et gros homme qui emplissait ses habits. Il me regarda, murmura quelque chose pour lui-même, retourna derrière son comptoir sur lequel s'empilaient de gros rouleaux de tissus, et finit par me demander si j'entendais quelque chose à l'anglais. Je lui répondis que j'en connaissais quelques mots et il m'entraîna dans la rue. Il me fit entrer chez un marchand de thé. Mon bourgeois salua le petit homme gris qui s'y affairait et il me poussa dans l'arrière-boutique, puis dans un escalier plutôt raide.

Il y avait deux hommes à la cave, assez jeunes, debout devant une table surchargée d'instruments. Ils se découvrirent avec respect devant mon guide, puis ils eurent une petite conversation ensemble, après quoi celui qui m'avait mené là, se retira. Le plus petit, qui avait le crâne rasé de près, s'approcha de moi et me sourit en me mettant la main sur l'épaule. Il me dit dans un français de maître d'école de ne pas m'effrayer, que mon sort était entre bonnes mains et qu'il allait tout m'expliquer.

Il commença par m'avouer que le bourgeois qui m'avait loué du gouvernement n'avait jamais eu l'intention de me prendre à son service. Ce n'était pas la première fois qu'il louait des forçats pour les sous-louer à des associés ou à des personnes avec lesquelles il traitait. Ainsi, ces deux-là étaient des immigrants nouvellement arrivés en Australie, un Français et un Allemand, Lanthier et Werhung, qui entendaient bien faire fortune dans la fabrication des chandelles. Mon bourgeois, à qui ils avaient été recommandés, s'était entendu avec eux sur le partage des profits, en échange de quoi il avait mis cette cave à leur disposition et il les avait pourvus du matériel nécessaire. Au dire de ce monsieur Lanthier, ils ne tarderaient pas à devenir à leur tour de prospères marchands et je ne regretterais pas d'avoir été mêlé à leur entreprise.

La journée était assez avancée et ils me prièrent de les excuser car ils avaient à faire. Lanthier m'expliqua que je devrais m'accommoder des lieux comme logement, mais qu'il verrait à améliorer mon sort dès que possible. Il y avait du pain sur le bout de la table et un reste de fricassée froide. Ce serait mon souper. Puis il s'en alla avec son associé après avoir refermé la trappe. Je l'entendis passer un cadenas dans l'anneau. Depuis que j'avais été pris dans l'église du Port-Saint-François, au Bas-Canada, je n'avais jamais été enfermé dans une prison comme celle-ci.

La nuit fut longue. Les semaines qui suivirent également. Mes deux patrons étaient dévorés par une ambition dont ils n'avaient pas les moyens. En temps normal, ils auraient dû se procurer à l'extérieur le suif dont ils avaient besoin pour faire leurs chandelles. Pour économiser, ils avaient décidé de le fabriquer eux-mêmes. Ils avaient installé un petit poêle bas dans un coin de la cave, sur lequel ils avaient déposé une gigantesque marmite dans laquelle ils s'entêtaient à faire bouillir des moutons entiers. L'odeur était éprouvante. La chaleur, un coup de masse en plein front.

Ils me laissaient habituellement seul à la cave au plus fort de l'opération, prétextant des achats à faire ou des gens à rencontrer. Je ne me plaignais pas. Je n'étais pas là pour ça. Mais ils ne respectaient pas l'entente que nous avions faite. Ils ne me versaient pas de gages. Ils commencèrent par me dire que je les aurais dans une semaine, puis dans une autre, avant de m'avouer qu'ils n'avaient pas les moyens de me les donner tout de suite. Je devais me considérer, d'une certaine façon, comme leur associé et je recevrais ma part le temps venu. Je leur répondis franchement que je n'y croyais pas et que s'ils n'étaient pas en mesure de satisfaire à leur obligations, je ne me sentais lié à eux d'aucune façon.

Je pris la poche de loup qui contenait mes quelques affaires et je sortis de la cave sans qu'ils tentent de m'en empêcher. Je traversai la boutique du marchand de thé et après m'être laissé réconforter un peu par la lumière, je m'en allai trouver mon bourgeois. Il ne fut pas peu surpris de me voir entrer et fit même un geste pour tirer un pistolet de sous son comptoir. Je lui fis comprendre que je n'avais aucune intention malicieuse et je me mis en frais de lui expliquer ce qui m'amenait là.

Mon bourgeois me déclara qu'il n'avait pas d'autre emploi à me donner que celui-là et que si je n'en étais pas satisfait, je n'avais qu'à retourner d'où je venais. Je lui dis que c'était mon intention. Il en fut un peu étonné, puis il m'expliqua que je devais, pour cela, aller rencontrer un fonctionnaire dont il écrivit le nom et l'adresse sur un bout de papier.

Cette simple démarche s'avéra des plus pénible. La ville se moquait de moi, répétant l'une après l'autre des rues toutes semblables, dont je ne savais ni le commencement ni la fin. Je montrais mon bout de papier aux passants, mais plusieurs s'écartaient de moi comme si j'avais eu la peste. Il était vrai que bon nombre de forçats évadés erraient dans Sydney et qu'ils tiraient leur subsistance de larcins. Je finis, je ne sais trop comment, par me retrouver devant un imposant édifice de pierres grises dont l'entrée s'ornait d'une grille qui donnait sur une cour. Il y avait là une guérite et le soldat qui s'y tenait examina longtemps mon papier et le nom qui était écrit dessus avant de se décider à me précéder dans de grands escaliers de pierres qui nous menèrent à une salle où se tenaient des officiers, assis chacun derrière un pupitre, la tête penchée sur d'épaisses liasses de documents. Mon guide traversa les rangées de pupitres, dit quelques mots en anglais à un des officiers et me laissa devant lui, ma poche de loup à la main.

Je m'apprêtais à m'expliquer, avec mon peu d'anglais sur ce qui m'amenait, quand l'officier me sourit et me pria, dans un français élégant, de m'asseoir. Notre consersation dura le temps de toute une pipe.

L'officier se disait très étonné de ma conduite. Dans ma situation, bien des prisonniers auraient pris la fuite. Il ne pouvait pas croire non plus que je souhaitais retourner à Long-Bottom. Il me représenta que dans quelque temps, les Canadiens recevraient leur «*ticket of leave*», c'est-à-dire qu'ils seraient libres de gagner leur vie comme ils l'entendraient et comme ils le pourraient, de la même façon que tous les citoyens à part entière de l'Australie. C'est alors que j'aurais besoin de toutes mes économies. La vie n'était vraiment pas facile à Sydney, comme sur tout le continent d'ailleurs. L'Angleterre envoyait trop de colons et de proscrits et l'économie était en ruines. Pour cette raison, il ne pouvait m'assigner à un nouveau bourgeois, mais il ne souhaitait pas non plus que je revienne en arrière. Il se pencha sur son pupitre, tira une grande feuille de papier et se mit à écrire. Il signa et me tendit le document.

C'était, m'expliqua-t-il, une autorisation d'aller et de venir à ma guise dans Sydney, sans toutefois franchir les limites de la ville, pour trouver à m'engager. Il ne fallait à aucun prix que je perde ce bout de papier. Les soldats et les gendarmes pouvaient me le réclamer à tout propos. Il n'était valide que pour une semaine. Je devais venir me présenter à lui au bout de ce temps et lui faire rapport de mes démarches. S'il le jugeait à propos, il émettrait un autre laissez-passer pour que je puisse continuer mes recherches. Si j'étais pris sans être en règle, mon sort serait infiniment plus rude que celui que j'avais connu à Long-Bottom. Je lui dis que je n'avais pas l'intention de me dérober à mes obligations et je redescendis dans la rue.

Je me mis à marcher devant moi. Mes pas me conduisirent dans la baie qui était toute proche. Je passai la première nuit sur des pierres, sous les poutres d'un quai. J'essayai bien au matin de m'enquérir s'il n'y avait pas quelque travail dans le port, mais comment voulez-vous obtenir réponse à vos questions quand vous les formulez maladroitement dans une langue qui n'est pas la vôtre?

J'étais assis, les jambes pendantes dans le vide, au bord du quai qui m'avait servi d'abri la nuit précédente, quand un marin à bonnet de laine me mit la main sur l'épaule. Il m'avait entendu plus tôt m'adresser à ses collègues. Il me regardait en souriant et il répétait: «French?». Je n'étais pas dans la situation de lui faire la démonstration de toutes les différences qu'il y avait entre les Français et les Canadiens. Je fis signe que oui. Il m'invita à le suivre. Il venait de charger avec ses confrères une grosse barge ventrue et ils allaient y monter pour aller livrer ces marchandises à divers établissements le long du cours de la Parramatta. Ils se mirent à plusieurs pour me faire comprendre qu'ils connaissaient un Français qui vivait quelque part du côté où ils allaient et que ce dernier saurait sûrement me tirer d'embarras. Je n'avais pas mieux à faire. Je les suivis. Ils hissèrent deux voiles et la barge se mit à remonter lourdement l'estuaire de la Parramatta.

Sydney était derrière nous. J'étais déjà en contradiction avec le bout de papier que j'avais soigneusement plié et mis dans la poche de ma chemise et selon lequel je ne devais pas quitter la ville. J'étais habitué à cet état. Ma vie n'avait jamais été en harmonie avec aucun papier. Les marins de la barge me donnèrent du pain et du poisson fumé à manger. J'étais sur le point de commencer à me trouver à l'aise, allongé sur des ballots, quand mes guides me montrèrent un village sur la rive. C'était là que vivait le Français.

Il y avait un petit quai tout simple. Les marins m'y firent descendre sans s'amarrer. Ils reprirent le large aussitôt. À moi de trouver mon homme. Je me mis à marcher parmi des maisons fraîches, la plupart toutes récentes, certaines ayant encore leurs échafaudages. C'était une chaude après-midi. Ma poche de loup était légère et le village avait de la couleur sur ses toits. Quelques enfants, des femmes à coiffes, et je me retrouvai face à face avec mon Langlois.

Il ne fut pas le moins du monde surpris de me revoir, du moins fit-il comme s'il m'attendait et il me dit tout de suite en m'entraînant vers le haut du village que la perspective de retourner prochainement au Canada devait me quitter. Il était sans nouvelles de monseigneur Spalding, mais on lui avait écrit de Montréal pour lui apprendre que monseigneur Bourget était allé à Londres, profitant d'une traversée à Rome, et qu'il en était revenu fort attristé de l'attitude du ministère des Colonies à notre endroit. L'évêque canadien n'avait pas perdu tout espoir cependant et il avait organisé des quêtes spéciales dans les paroisses pour pouvoir envoyer à Londres le prix de notre retour. Les autorités ne resteraient sans doute pas insensibles à cette filiale marque d'attachement.

Langlois sourit, secoua les cheveux qu'il avait maintenant assez longs et ajouta qu'en attendant il fallait s'occuper de nos affaires d'Australie. Alors seulement me demanda-t-il de mes nouvelles. Je le mis au fait de ma situation et il en parut sincèrement chagriné. Il s'empressa d'ajouter cependant qu'il ne pouvait pas grand-chose pour moi, outre de m'héberger quelques jours.

Langlois n'avait pas perdu son temps depuis son départ de Long-Bottom. Il s'était arrangé pour obtenir presque tout de suite son «*ticket of leave*» et il avait construit ce village avec des conscrits émancipés. Je ne doutai pas un seul instant qu'il y eût consacré la fortune qu'il avait amassée aux dépens des travailleurs de nuit de Long-Bottom. Il n'était pas juste de dire que le village lui appartenait: chacun avait bâti sa propre cabane, mais Langlois donnait les autorisations et tout le commerce qui s'y faisait passait entre ses mains. Il me dit qu'il avait quelques centaines de moutons dans les collines qui avoisinaient le village et il m'entraîna chez lui. C'était une grande maison carrée qui pouvait recevoir plusieurs familles à la fois. Il en louait des parties aux nouveaux arrivants. Il y vivait, au rez-de-chaussée, avec une femme qui se prénommait Nora. C'était une jeune femme pas très jolie mais pleine de vigueur. Je la vis deux fois ivre pendant le court temps que je passai au village.

Langlois m'avait permis de m'installer dans un hangar attenant à sa demeure et je dînais à sa table. Je ne le voyais pas de toute la journée. Nora tournait autour de moi comme un papillon. Dès que Langlois avait mis le pied dehors, elle commençait à me faire les yeux doux. Je n'y étais pas insensible.

Langlois me prit à part un soir après souper. Il me demanda ce que je comptais faire. Je lui répondis que je voulais travailler. Il me révéla alors l'existence d'un chantier un peu plus haut sur la rivière, où plusieurs de nos compatriotes s'étaient retrouvés tour à tour. L'endroit était connu comme le chantier canadien. On y abattait des arbres et on les équarrissait pour les envoyer sur le cours de l'eau jusqu'à Sydney, où ils servaient au pavage des rues. J'avais déjà vu flotter ce bois et il m'avait été donné de marcher à Sydney dans des rues pavées de bois. Langlois me dit que je serais bien accueilli au chantier en annonçant que c'était lui qui m'envoyait. Il ajouta qu'il avait participé à sa mise sur pied et qu'il retirait des bénéfices des ventes qu'on y faisait. Il insista pour savoir si sa proposition m'agréait. Je répondis que j'irais au chantier canadien.

Je partis dès le lendemain matin. La femme de Langlois m'avait embrassé comme si j'avais été son bien-aimé et Langlois lui-même ne me lâchait pas en me faisant jurer de lui renvoyer à la première occasion le canot qu'il me prêtait pour me rendre au chantier.

J'y arrivai tard l'après-midi. C'était un chantier assez semblable à ceux du Canada, à la différence que les arbres n'étaient pas de la même espèce que les nôtres. Mes compatriotes avaient bâti l'abri de la même façon qu'ils avaient l'habitude de le faire dans les forêts canadiennes, avec des couchettes bourrées de branches de conifères et une ouverture dans le toit pour laisser s'échapper la fumée du feu de cuisine. Ils avaient aussi creusé un puits à scier les pièces de bois, dans lequel un homme descendait tenir le manche d'un long godendard dont l'autre extrémité était manoeuvrée sur un échafaudage, au-dessus, par son partenaire. Et ces gens-là semblaient prendre plaisir à ce qu'ils faisaient. Ils me virent arriver avec joie et je fus tout de suite parmi eux comme un des leurs. La cuisine était abondante et les plaisanteries ne pesaient pas lourd au bout de la langue de certains. Ces hommes faisaient exactement ce qu'il fallait faire pour ne pas trop souffrir de leur exil. Ils travaillaient, ils chantaient, ils mangeaient et ils dormaient pour recommencer le lendemain, sans penser à rien d'autre qu'aux cals qui leur poussaient dans les mains.

J'y serais encore, si un soir celui qui menait le chantier, le grand Gendron, n'était venu me trouver pour me dire qu'il s'inquiétait à mon sujet. Deux de ses hommes étaient allés à Sydney pour marchander leur bois et ils en avaient profité pour aller faire mettre leurs papiers en règle auprès de l'administration. Ils y avaient appris que j'avais failli à mon devoir d'en faire autant et que j'étais dorénavant considéré comme déserteur. Gendron ajouta que ma situation les mettait dans l'embarras, lui et tous ceux du chantier. Ils s'exposaient à de graves ennuis si on apprenait qu'ils avaient prêté assistance à un déserteur. Il me représenta que tous ceux du chantier canadien avaient péniblement gagné le droit de vivre décemment sur le sol australien, en attendant le jour béni du retour, et que ce serait dommage de leur faire perdre ce privilège. Gendron n'eut pas besoin de m'en dire davantage. Je n'étais plus là quand ils s'éveillèrent le lendemain. J'avais pris une hache et quelques provisions que j'avais fourrées dans ma poche de loup et je m'étais enfoncé de nuit dans la brousse.

La première nuit, j'ai marché droit devant, sans savoir où j'allais. C'était encore plus effrayant que de faire route dans la nuit du Bas-Canada. Je mettais la main sur un arbre, mais ni l'écorce, ni le vent dans les branches, ni l'odeur ne me disaient quel arbre c'était. Les craquements n'avaient pas de signification. J'avais peur de tomber dans des trous sans fond. Toutes les bêtes étaient contre moi. Et pourtant, j'ai marché toute la nuit. Je voulais qu'au matin ceux que j'avais laissés soient loin derrière moi. Je craignais que mes pas retournent d'eux-mêmes vers la bonne odeur des pipes des Canadiens. Je savais que ma place n'était plus parmi eux.

Au matin, j'étais devant une forêt sans nom. Des arbres gigantesques avec des branches tordues et des racines qui couraient à la surface du sol. Il y avait de hautes fougères par endroits, ce qui donnait à penser qu'il devait y avoir de l'eau à proximité. Je finis par trouver un ruisseau et je m'allongeai sur la berge. Les nuages passaient haut. L'air portait le parfum d'un arbre qui me rappelait le panier d'herbes à médecine de Marie. Je m'endormis.

J'ai dormi près de cinq ans. J'ai recommencé comme dans un mauvais rêve mes gestes des Bois-Francs, je me suis construit une cabane et j'ai vécu d'expédients. J'y serais encore, si une nuit je n'avais entendu du bruit dehors.

Je fis quelques pas devant ma cabane et soudain je m'aperçus qu'il y avait cinq hommes autour de moi. L'un d'eux alluma une torche et ils me regardèrent en ayant l'air de se demander s'il valait mieux m'abattre sur le champ ou se donner la peine de me parler. Ils finirent par me pousser à l'intérieur. L'un d'eux, petit et carré, l'oeil noir et les cheveux épais, me demanda qui j'étais. Je répondis que mon nom n'avait plus grande importance et que je n'allais nulle part. Ils éclatèrent de rire tous les cinq comme si j'avais dit quelque chose de très drôle. Puis, celui qui m'avait parlé en premier renchérit qu'eux non plus n'avaient plus ni nom, ni itinéraire. Il n'était pas besoin d'être instruit pour comprendre que ces gens-là étaient des forçats évadés. Ils présumaient que j'étais dans la même situation qu'eux. Ils ne se soucièrent même pas de me l'entendre dire.

J'ignorais pour quelle raison ils tenaient tant à m'emmener avec eux. Je n'avais pas les moyens de résister, avec ma seule hache, contre ces cinq hommes. Le lendemain, me mis à marcher avec eux.

Le soleil du jour suivant se couchait quand nous arrivâmes en vue d'une cabane dans une clairière. Il y avait là tous les signes d'une installation faite par quelqu'un qui a beaucoup travaillé dans l'intention de tirer sa subsistance de la terre. Des parcelles défrichées, des piles de bois et des bouts de clôtures. J'entendais des moutons sans les voir. Mes compagnons me firent entrer et mon intuition se confirma. C'était la cabane d'un colon. Une table, un lit, des marmites et des outils, mais pas de colon, et aucun de ceux qui m'avaient mené là n'en avait l'allure. Je découvris un coin de terre fraîchement remuée, le lendemain, et je n'eus plus de doutes sur le sort du malheureux qui avait occupé les lieux avant nous.

Mes compagnons tenaient maintenant à ce que je leur dise ce qui m'avait amené aux terres australes. Ils semblèrent satisfaits d'apprendre que j'avais été condamné à être pendu avant d'être envoyé ici. C'était une qualité qu'ils appréciaient. Ils me confièrent sans hésiter leurs intentions. Deux d'entre eux avaient passé le temps de leur peine à construire des navires. L'un était charpentier et l'autre savait travailler le fer. Les trois autres avaient fait partie de l'équipage d'un baleinier. Tous avaient une chose en commun: l'insoumission. Les baleiniers avaient déposé leur capitaine sur une île pour régler une dispute qui s'était élevée entre eux à propos du partage des profits de l'expédition; les deux autres s'étaient évadés de Tasmanie sur le trois-mâts qu'ils avaient contribué à bâtir. Ils avaient été jetés sur la côte au nord de Sydney. Ils étaient les seuls survivants de l'aventure. Ils comptaient tous les cinq faire des provisions et remettre le trois-mâts à la mer. Ils ne me demandèrent pas mon avis pour décider que j'embarquerais avec eux. Je ne mis pas longtemps à me faire à cette idée.

L'Australie ou les Bois-Francs, c'était la même chose pour un homme qui n'avait plus d'autre demeure que la trace de ses pas.

Il fut décidé que j'irais avec un nommé Stewart entreprendre des radoubs au trois-mâts. Nous marchâmes près de deux semaines pour atteindre notre destination. C'était une crique sauvage bordée de falaises. Le trois-mâts était dans un enfoncement ainsi fait qu'on ne pouvait l'apercevoir du large. Stewart me dit que le navire se trouvait exactement dans la position où on l'avait laissé. Il ne semblait pas en trop mauvais état. Ses mâts avaient souffert et il fallut en remplacer deux. Ce ne fut pas une tâche facile.

Nous dûmes exécuter à deux des manoeuvres qui auraient demandé le concours d'une dizaine d'hommes. Faute de bras, nous eûmes recours à toutes les ressources de l'ingéniosité. Le trois-mâts fut bientôt aussi frais qu'au jour de son lancement. Il fallut attendre les autres. Nous languissions tout le jour et le sommeil ne nous apaisait pas la nuit. Nos compagnons finirent par arriver, poussant devant eux un petit troupeau de moutons que nous transportâmes presque dans nos bras jusque sur le pont.

Les jours qui suivirent furent employés à recueillir ce qu'il fallait pour nourrir les animaux. Trois des hommes repartirent en direction d'une cachette où ils avaient laissé des provisions qu'ils ne pouvaient prendre avec eux lors de leur premier convoi. Ils revinrent avec des poches d'une farine assez brute, du sel et une grande abondance de biscuits de mer dont je ne sus jamais où ils se les étaient procurés. Il y avait des armes dans les quartiers de l'arrière. Des couvertures en abondance. Il fallut rouler à terre des dizaines de barils et les hisser en haut de la falaise pour aller les emplir de l'eau dont nous aurions besoin pendant notre séjour en mer. À mesure que le moment du départ approchait, mes compagnons devenaient de plus en plus fébriles. Il fallut en séparer deux qui se seraient battus jusqu'à s'entre-tuer. Puis on se partagea les tâches et les responsabilités. Un des baleiniers fut désigné capitaine. Nous n'étions pas assez nombreux pour nommer un second. Il était convenu que nous ferions route au nord-est. La marée descendante nous poussa au large à la faveur de la nuit.

⁎

Tim Bellerose séjourna au Nouveau-Brunswick jusqu'en octobre. Trois autres bateaux, trois autres charges de 500 tonnes. Tim respectait le contrat qu'il avait passé avec l'agent new-yorkais de la Brown, Swanson and Company de Liverpool. Celle-ci lui avait versé une avance de trois mille livres. Déduction faite de l'achat du bois et de tous les frais, l'opération lui laissait un peu plus de quatre cents livres. Tim rembarqua pour Nicolet en se promettant d'entreprendre, par correspondance cette fois, des démarches en vue de rééditer son exploit le printemps d'ensuite.

Il était en train d'apprendre à tirer parti de renseignements patiemment recueillis et finement rassemblés au cours de longues soirées de réflexion.

Pour la plupart des Canadiens, ceux du Haut comme du Bas-Canada d'ailleurs, le bois c'étaient des arbres, des radeaux qui flottent à la rigueur, et rien de plus. Pour le reste, mystère et Saint-Esprit. Les Anglais d'Angleterre s'en occupaient. Pendant son séjour à St.John, Tim avait été à même de dénouer l'écheveau et d'identifier chacun des intermédiaires qui constituaient la chaîne de ce commerce lucratif.

Le fond de l'affaire, c'était que le bois ne restait jamais longtemps entre les mains de la même entreprise. Mais ce bois, il fallait d'abord le couper. Les Anglais d'Angleterre s'en chargeaient. Ils formaient des sociétés qui ouvraient des bureaux à Québec.

La William Sharples and Company, par exemple, signait un contrat avec l'amirauté britannique pour la fourniture de mâts. Savait-on seulement qu'un mât de trente pouces de diamètre pouvait valoir 112 livres, un de dix-neuf pouces, 40 livres? Il y avait de quoi passer bien vite pour un personnage important. Un des fils Sharples, John, était devenu conseiller législatif. De là à se faire concéder les meilleurs territoires de coupe de bois de l'Ottawa...

Mais tout ne se faisait pas aussi simplement. Le bois coupé, flotté jusqu'à Québec, un premier partenaire intervenait: l'expéditeur. C'était, la plupart du temps, une grosse société qui avait un bassin à son usage dans le port de Québec. Des bateaux aussi, le mot le disait: en anglais, l'expéditeur s'appelle «*shipper*». Les gens de la William Sharples and Company n'assuraient pas eux-mêmes l'expédition de leur bois en Angleterre. Ils ne se donnaient pas la peine d'entretenir une flotte de navires à cet effet. Ils passaient un accord avec une autre société, celle de William Price, par exemple, qui expédiait jusqu'à cent chargements par année.

L'agent était le partenaire le plus habile de tout le commerce du bois, parce qu'il ne manipulait rien, se contentant de voyager, de Londres à Québec, traitant tour à tour avec les expéditeurs et les importateurs et mettant, au passage, un certain nombre de livres de profits dans ses goussets. L'agent était quelqu'un qui connaissait le bois sans l'avoir vu et qui le faisait changer de continent sans sortir les mains de ses poches. Il avait la confiance de tout le monde; sa principale occupation consistait à vider des bouteilles de sherry avec des gens opulents, des bouteilles qu'il ne payait d'ailleurs pas lui-même, la plupart du temps.

L'importateur était la contrepartie anglaise de l'expéditeur. Il avait une cour à bois à proximité d'un port. Tim s'était fait décrire les installations de la Canada

Dock à Liverpool. Un important chargement de pin jaune venait d'arriver. Un expert de la Canada Dock en évaluait la qualité avant même que le bois soit déchargé. Sur la seule foi de son jugement, son employeur pourrait détourner ce bois sur Cardiff, Maldon, ou tout autre port où il faisait des affaires. S'il était établi que la cargaison devait rester à Liverpool, une fantastique opération commençait. Les mille employés de la Canada Dock déchargeaient des piles de bois hautes comme les plus hauts édifices. Ce n'était pas tout. Ce bois, on s'empressait de le transporter sous des hangars et une personne qui ne connaîtrait rien à ce commerce pourrait croire qu'il était enfin arrivé au bout de son périple. Il allait encore changer de mains.

Les importateurs convoquaient les marchands. Ceux-ci avaient été prévenus de l'arrivée imminente d'une cargaison de pin jaune. Ils s'assemblaient, le jour convenu, dans leurs gilets lustrés, et ils devisaient entre eux après être allé examiner le bois, en attendant que l'encanteur allume sa chandelle.

Les chandelles d'encanteurs étaient toutes petites, de format identique et elles étaient fabriquées d'une cire molle qui brûlait très vite. L'encanteur tirait son briquet. Tant que sa chandelle restait allumée, les marchands misaient sur le lot de bois qui était offert. Au début, les gros hommes à gilets n'avaient pas l'air de faire très attention à ce qui se passait. La chandelle se consumant, ils se mettaient à crier des chiffres, tous en même temps. Celui qui parlait au moment où la bougie s'éteignait l'emportait. Quand c'était fini, l'importateur donnait un banquet sous un hangar. Les acheteurs déçus et ceux qui avaient été favorisés mangeaient côte à côte, riant très fort et se tapant dans le dos. C'était ainsi.

Ayant appris ces choses, Tim revint à l'île Lozeau avec une ample provision de ses petits cigares. Émilie le reçut comme s'il avait été le roi d'Angleterre. Jean-

Jérôme imitait chacun de ses gestes. L'hiver s'annonçait riche de longues veillées au cours desquelles Tim Bellerose émerveillerait tout le monde en racontant ce qu'il avait vu sur les quais de St.John.

Il se rendit aux Trois-Rivières rembourser au marchand juif la première tranche de son emprunt. Benjamin Levy le reçut chaleureusement. Il fut surtout impressionné d'entendre que monsieur Bellerose avait fait de bonnes affaires en Angleterre. Lui-même entretenait d'importantes relations commerciales avec la Grande-Bretagne, mais la diversité de ses occupations l'empêchait de s'y rendre aussi souvent qu'il aurait été nécessaire. Monsieur Bellerose accepterait-il de faire le voyage à sa place? Comment résister à une telle proposition? Tim s'embarqua dès les premiers jours de novembre.

TROISIÈME PARTIE

Le moulin du désert

«Alors il se mit à lancer contre les siens tout ce qu'il avait amassé dans son vieux sac de colère: Tas de lâches, disait-il, qui, dans le péril commun, n'ont pas de coeur au-delà de leurs clôtures. Que tout s'en aille aux étrangers, la montagne, les champs, les bois... bah! qu'est-ce que cela leur fait à ces avares crispés chacun sur ses écus? Le passé? Ils accablent leurs morts de belles paroles pour n'avoir pas à les entendre.»

F.-A. Savard,
Menaud maître-draveur

Lorsqu'il revint d'Angleterre, au mois de juin, Tim Bellerose avait un porte-documents en peau de cochon sous le bras et le ventre bien rond de quelqu'un qui n'a pas refusé toutes les invitations à dîner. Un air de satisfaction sur le visage. Les cheveux roux coupés courts, il s'était laissé pousser des favoris. Il rapportait dans ses bagages une douzaine de mouchoirs de soie pour Émilie et la reproduction d'une diligence en bois pour Jean-Jérôme. Il allait jouir tranquillement de la fumée d'un de ses petits cigares qu'il venait d'allumer dans la cuisine de la ferme de l'île Lozeau, quand Émilie lui annonça le plus froidement du monde qu'il était père pour une seconde fois.

Le temps d'essayer de toutes ses forces de refuser l'évidence et Tim avait compris: Nastasie avait eu un enfant. Tim regardait sa femme à la dérobée. Elle ne semblait pas prendre la chose à la légère, mais elle n'en faisait pas un drame non plus.

Tim, lui, était atterré. Il n'avait pas l'habitude des situations ambiguës. Il avait cherché à tracer sa vie comme une ligne bien droite. Il venait d'être surpris en pleine faute. Ce qu'il redoutait surtout, c'était qu'Émilie ne doute de ses sentiments. Mais, n'osant pas se jeter à son cou et lui réitérer son amour, il restait là, au bout de la table, droit comme un mort, le regard ailleurs.

De son côté, Émilie avait eu le temps de se faire une idée: pour trois poils gris, les hommes s'imaginent qu'ils ne séduiront plus personne. Tim s'était bêtement laissé prendre comme une abeille dans les boucles d'une chevelure. S'il fallait désigner un coupable, c'était Nastasie qui avait abusé des pouvoirs de séduction de la jeunesse. Émilie savait bien, par ailleurs, que les femmes de plus de trente ans ont perdu de leur éclat: les hanches qui vous ont d'abord donné l'allure d'un beau fruit finissent par vous faire ressembler à une outre. La différence entre les femmes et les hommes, dans la plupart des cas, c'était que la maternité préparait les femmes à cette maturation, tandis que pour trois livres de lard à la ceinture, les hommes entonnaient le chant du coq.

Tim mit deux jours à se décider, deux journées pendant lesquelles il arpenta les terres de l'île Lozeau en pétrissant les faits et les sentiments en une boule informe dont il ne parvenait plus à tirer de signification. Au matin du troisième jour, il prit la direction de Notre-Dame-de-Pierreville.

Cournoyer était sur son quai. En voyant venir Tim sur la route du village dans un cabriolet, il courut vers sa maison. Le temps que Tim descende de voiture et Cournoyer en ressortit, son gros fusil de chasse à la main. Le pêcheur de Notre-Dame se tenait au milieu de la route, le crâne plus ras que jamais, ses mains démesurées sur le fusil. Tim resta devant lui, à ne trop savoir que faire. Un premier coup de feu fut tiré en l'air.

On vit deux hommes qui couraient, le premier comme un perdu, le second en brandissant son fusil et en invectivant le premier. Notre-Dame-de-Pierreville n'a qu'une rue. Cournoyer poursuivit Bellerose jusqu'au bout de cette rue, le délogeant des encoignures, sautant les barrières et piétinant les plates-bandes. Les mères rassemblaient leurs enfants et il y avait une dizaine de personnes sur la galerie de la maison de Cournoyer, entourant Nastasie qui tenait un mouchoir sur sa bouche.

Il y eut encore quelques coups de feu, puis on ne vit plus les auteurs de tout cet émoi. Ils étaient partis dans les prés qui s'étendaient derrière le village. Le grand William, de la ferme Précourt, les vit passer dans son champ. Plus loin, des chiens accompagnèrent un moment leur fuite folle et enfin, celui qui courait devant entra dans le bois des Sauvageau.

Nul ne sut jamais exactement ce qui se passa dans la clairière qui entoure la cabane à sucre de Jos Sauvageau. Il dut toutefois s'y dérouler une bataille de bêtes féroces car une pile de bois plus haute qu'un homme était renversée, des bêches, des râteaux dispersés, la tonne à recueillir la sève des érables percée de part en part d'une balle dont on retrouva la douille près de la porte de la cabane. Comment Tim ne fut pas atteint, nul ne le comprit. On convint à Notre-Dame que Cournoyer n'avait tiré que pour effrayer l'autre. Quoi qu'il en soit, les deux hommes avaient fini par se retrouver face à face, à en juger par l'état dans lequel ils étaient réapparus au village, une heure plus tard.

Ils marchaient bras dessus, bras dessous, titubant légèrement comme des hommes ivres. Les gens s'écartaient pour les laisser passer. Les voyant venir, Nastasie, sa mère et les enfants les y avaient précédés. Ils se retrouvèrent dans la cuisine où tout avait commencé. On entendait les pleurs d'un enfant à l'étage. Cournoyer entraîna Tim dans l'escalier. Nastasie les y suivit.

C'était un garçon. On lui avait donné le prénom de Jérémie. Tim annonça qu'il porterait le nom des Bellerose et Cournoyer finit par conclure qu'un enfant de plus ou de moins dans une maison comme la sienne, ce n'était toujours que l'occasion de quelques pleurs et de beaucoup de rires.

Nastasie ne disait rien, cependant, se tenant les mains sur le ventre comme s'il était toujours habité. Paradoxalement, la naissance de cet enfant marquait l'enterrement de sa jeunesse. Elle élèverait son petit dans la maison de son père, pelant sa part d'anguilles comme les autres, en attendant qu'un jour, peut-être, un fils de pêcheur du village daigne jeter les yeux sur elle.

Tim versa de l'argent, dit qu'il enverrait sous peu les deux Blaise, père et fils, aider Cournoyer à mettre son bateau à l'eau et remonta dans son cabriolet pour retourner à Nicolet.

Le lendemain, il se rendit aux Trois-Rivières faire rapport à Benjamin Levy des démarches qu'il avait effectuées en Angleterre en son nom. Celui-ci fut très satisfait de la façon dont monsieur Bellerose avait mené ses affaires. Les deux hommes restèrent tard, ce soir-là, dans le magasin de la rue du Platon. Levy examinait chacun des documents que Tim avait rapportés, l'interrogeant sur chaque démarche, si l'interlocuteur avait tiqué, quel délai il avait demandé, de combien il avait majoré la proposition initiale et divers renseignements qui le mettaient, somme toute, dans la même position que s'il s'était personnellement rendu en Angleterre.

Compte-tenu que Tim avait vécu tout l'hiver en changeant des lettres de crédit, la somme que lui versa Levy pour ses services était plutôt généreuse. Les deux hommes étaient satisfaits; on se tourna vers l'avenir.

La terre, les anguilles et le bois, Tim prospéra. Pas une opulence tapageuse. Il se contenta, pour un temps du moins, de reprendre la roue de *L'Émilie*. Il avait pourtant diversifié la nature de ses cargaisons: au retour de New York, il achetait sur la Richelieu de quoi remplir ses cales de pommes de terre, de pommes ou de tabac. La Richelieu se jette dans le fleuve à Sorel, une petite ville commerçante. Tim y vendait sa cargaison au marché, puis il reprenait un chargement quelconque à destination des Trois-Rivières. Il ne faisait plus de vapeur pour rien.

Tim regardait grandir ses deux fils en s'attachant davantage au second. Le premier, Jean-Jérôme, était un garçon taciturne qui marquait peu de dispositions pour le genre de vie de son père; c'était plutôt un esprit curieux et appliqué. De son côté, le petit Jérémie avait une intelligence vive qui pénétrait bien le sens des choses essentielles, le bois, l'eau, les outils. Un jour qu'il faisait escale à Notre-Dame, Tim annonça qu'il avait l'intention de prendre Jérémie avec lui.

— Cet enfant a six ans. Je m'occupe de lui. Je lui apprendrai tout, à lire et à compter, sans qu'il ait besoin d'user ses fonds de culottes sur les bancs des écoles.

À partir de ce jour, le petit Jérémie passa plus d'une nuit à chercher la chaleur du corps de son père, le plus souvent sous une toile goudronnée. Il avait des souvenirs, à dix ans, d'étés radieux sur la rivière Richelieu et de printemps dans le port de St. John. Il savait tout faire. Il suffisait d'ailleurs que son père lui demande d'accomplir une tâche pour qu'il en apprenne sur le champ tous les secrets. Il n'y avait pas beaucoup d'années que le père et le fils ne mangeaient plus dans la même assiette. Il leur arrivait encore, au coeur des hivers trop rudes, de passer la nuit sous une même couverture. Mais Tim voyait au-delà des choses du présent. Emporté par son ambition, il en venait souvent à mettre ses affaires et celles de son fils dans un grand sac pour aller recommencer ailleurs un nouvel ici. Jérémie ne jugeait pas. Il apprenait. De la gomme d'épinettes au goudron des câbles, il avait fait son sel de chacune des entreprises successives de son père. Quand il lui arrivait de revoir sa mère, et c'était fort peu souvent, il se sentait étranger devant elle et se dégageait de ses étreintes. Et le père repartait en entraînant le fils sur la trace de ses grosses bottes qu'il ne quittait jamais, pas même l'été. D'ailleurs sa mère avait fini par se marier et elle ne revenait que très rarement à Notre-Dame, presser contre elle le fils de ses premières amours.

Il n'avait plus été question de cette affaire entre Tim et Émilie. Les premiers temps, Tim avait entraîné l'enfant dans ses voyages, évitant de l'emmener à la maison. Un jour qu'il ne pouvait faire autrement, il débarqua avec lui à l'île Lozeau. Émilie lui mit la main sur l'épaule et elle l'entraîna à la cuisine. Il ne serait pas un étranger dans la maison de son père.

D'année en année, le commerce de Tim Bellerose devenait de plus en plus lucratif; de 900 tonnes qu'il avait acheminées la première fois, il en était maintenant à près de 6 000. Les choses se compliquaient cependant, dans la mesure où de telles quantités de bois ne trouvaient pas facilement place sur les ponts de navires déjà surchargés. Il n'était pas question, d'un autre côté, d'en affréter un à cet usage spécifique; les profits s'en seraient trouvés rognés considérablement.

Tim s'était donné quelques jours de réflexion. Par ce mot, il fallait entendre de furieuses marches sur les quais, les mains dans le dos, le cigare éteint entre les doigts. Un grand loup gris l'accosta; il dit se nommer Collins, être chargé d'affaires de la Upper Canada Line et avoir appris, entre les branches, que monsieur Bellerose songeait à se porter acquéreur d'un navire. Il le priait de surseoir à toute transaction avant d'avoir vu ce qu'on avait à lui offrir. Moitié par dépit, moitié pour donner une leçon à son démarcheur, Tim se laissa entraîner au quai où le *Pimberton* était amarré.

Rien d'un navire: une épave baptisée, un cimetière flottant. Tim ralluma son cigare et demanda si l'équipage était composé de fantômes. Le chargé d'affaires de la Upper Canada Line s'indigna. Était-ce pour transporter des soieries des Indes que monsieur Bellerose cherchait un bateau? Ne savait-il pas que sous toutes les latitudes de la terre, dans la Baltique comme au Canada, on affectait au transport du bois les navires qui avaient d'abord servi des entreprises plus exigeantes? Qu'une cargaison de thé ou d'épices se mouille, c'était la catastrophe; le bois avait-il peur de l'eau?

Tim demanda subrepticement pourquoi, puisque le *Pimberton* était un si bon bateau, songeait-on à le vendre. Collins répondit que son patron, monsieur Breasthook, en avait cent comme celui-là, des gros et des petits. Au point où elle en était, la Upper Canada Line ne pouvait se donner le mal d'entretenir toute sa flotte; quand l'un ou l'autre de ses vaisseaux réclamait un peu de soins, elle le vendait. Et, fit remarquer Collins, le prix était réduit en conséquence. Quelqu'un comme monsieur Bellerose, qui se donnerait la peine d'y faire effectuer quelques radoubs, pourrait se retrouver patron d'un fort bon bateau, capable de naviguer plusieurs années encore. La vérité, c'était que la moitié de la flotte affectée au transport du bois entre le Canada et l'Angleterre n'était pas en meilleur état que le *Pimberton*.

Tim demanda une nuit de réflexion. Il n'avait absolument pas l'intention d'acheter le *Pimberton*. Il voulait simplement se donner le temps de mettre au point la riposte appropriée. Mais la nuit le trouva harcelé de doutes: il avait plusieurs milliers de tonnes de bois à faire passer en Angleterre. Il devait à tout prix trouver un ou quelques bateaux pour prendre sa cargaison. À l'aube, il trouva le *Pimberton* moins pourri qu'il ne l'avait entrevu la veille; à l'heure du petit déjeûner, c'était un fier coursier des mers.

Un vieux fond de méfiance paysanne le retint cependant: il proposa une association à Collins. Il prendrait une part dans le navire, le tiers, et la Upper Canada Line en retiendrait les deux tiers. Une clause de l'acte à intervenir entre eux prévoirait que sans obligation de sa part, Bellerose pourrait acheter, quand il le voudrait et s'il le désirait, la part de la Upper Canada Line. Contre toute attente, Collins accepta. Il avait de pareils chats à fouetter dans tous les ports du Haut et du Bas-Canada. Il ne doutait pas que monsieur Bellerose voie bien vite où était son avantage. Dans son esprit, c'était une vente ferme. Deux jours plus tard, l'acte était signé et Tim avait mis une partie importante de sa fortune dans l'affaire.

La Upper Canada Line avait un agent de port à St.John. Tim s'arrangea avec lui pour que son bois soit expédié dans les meilleurs délais. Le *Pimberton* était un petit bateau; il en avait pour une partie de l'été à faire passer 6 000 tonnes de bois en Angleterre. En compensation des pertes encourues par la Upper Canada Line, laquelle n'avait plus le navire à sa disposition, Tim avait signé une clause entraînant le versement d'une part de ses profits, tant et aussi longtemps qu'il ne serait pas l'unique propriétaire du navire. Sans compter que l'agent de port devait être dédommagé pour ses démarches; la Upper Canada Line diminuerait son salaire en proportion. Il était normal que l'expéditeur paie pour les services dont il bénécifiait.

Tim assista au premier chargement avant de rentrer à Nicolet. Il ne fut pas peu étonné de voir les pauvres hères qui constituaient l'équipage du *Pimberton* passer de lourdes chaînes sous la coque du navire, des chaînes dont les crochets venaient se refermer au-dessus de la cargaison sur le pont. On lui dit que c'était pour empêcher le bois de se déplacer pendant la traversée; Tim eut plutôt l'impression que les chaînes servaient à empêcher la coque de s'éventrer.

Le *Pimberton* fit naufrage au cours de la deuxième traversée. Il y eut quatre survivants sur les sept qui avaient trouvé refuge dans la seule chaloupe du navire; un garçon de seize ans, deux hommes d'âge mur et une jeune femme qui occupait, avec son fiancé, une des trois cabines de passagers. Les trois autres moururent de faim et de soif.

Tim Bellerose en eut pour deux ans à se dépêtrer du mauvais pas dans lequel cette mésaventure l'avait mis. Les réclamations contre lui, protêts et ordres d'éviction s'élevèrent à près de douze mille livres. C'était sans compter la perte de son bois et l'obligation dans laquelle il s'était trouvé d'affréter un autre navire, à grands frais, en pleine saison, pour remplir ses engagements à l'endroit de la Brown, Swanson and Company de Liverpool.

Les autorités de la Upper Canada Line se montrèrent intraitables, allant jusqu'à le tenir conjointement et solidairement responsable de la perte du navire. On invoqua des traités vieux comme le monde, selon lesquels tout affréteur contribuant à l'armement d'un bâtiment se portait garant des opérations entre le port de départ et le port d'arrivée. Un des passagers avait souscrit une police d'assurance sur la vie auprès d'une société de Londres. Cette dernière réclama des dédommagements de la Upper Canada Line qui tenta d'en faire supporter la plus grande partie par celui qui avait signé le connaissement de la marchandise, Tim Bellerose en l'occurrence. Plus encore, la Upper Canada Line exigea une compensation monétaire pour la perte de jouissance d'un des éléments majeurs de sa flotte.

Papiers timbrés, huissiers et comparutions, Tim ne vécut pas pendant deux ans. Il parvint cependant, à coups de nuits blanches et de sueurs froides, à sauver l'essentiel: la ferme de l'île Lozeau ne lui appartenait pas — elle apparaissait au cadastre au nom de sa femme — et le marchand des Trois-Rivières, Benjamin Levy, avait fait lever d'urgence un séquestre fictif de *L'Émilie* contre lequel il invoqua les privilèges de premier créancier. Les rigueurs de la loi le forcèrent cependant à retirer le bateau de la navigation tant et aussi longtemps que les prétentions de la Upper Canada Line contre Tim Bellerose ne furent pas réglées.

En fin de compte, la société maritime du Haut-Canada ne gagna rien. Tim, lui, dégringola l'escalier qu'il avait patiemment monté, une marche après l'autre.

Le bateau était à terre maintenant, au port des Trois-Rivières, des scellés en interdisant l'usage, et son commerce d'anguilles à destination de New York était anéanti en conséquence. Tim passa le plus clair de son temps, pendant deux ans, dans les offices des avoués, notaires et autres gratte-papier. Son commerce de bois avec l'Angleterre n'était plus qu'un souvenir. Tim Bellerose était redevenu un cultivateur comme les autres.

Le bateau. Il avait bien failli sombrer dans la tourmente provoquée par le conflit de Tim avec la Upper Canada Line. Quand les huissiers vinrent s'en saisir, ils s'aperçurent que Benjamin Levy était passé avant eux. *L'Émilie* était déjà à terre sur l'île Saint-Quentin, devant Trois-Rivières, et les scellés qui en interdisaient l'accès se référaient à des papier timbrés où il était question de la dette de Tim Bellerose à l'endroit du Juif. Tim n'avait évidemment plus de quoi y satisfaire. Il dut même emprunter de nouvelles sommes pour faire face à l'assaut de ses adversaires.

Le bonhomme Létourneau se vit, par conséquent, privé de l'usage de la terre qu'il avait hypothéquée pour garantir la transaction de son gendre. Il avait prévenu Tim que si cette situation venait à se produire, il l'écorcherait comme un lapin. Mais Tim commençait à savoir affronter les tempêtes. Il alla trouver son beau-père. Ce qu'il avait à lui dire était de nature à le rassurer: c'était à sa demande expresse que Benjamin Levy avait saisi le bateau pour éviter qu'il ne tombe entre les mains des fondés de pouvoir de la Upper Canada Line. Une fois l'orage passé, le Juif lèverait sa main-mise et il pourrait reprendre son commerce. Tim n'était pas peu fier de cet arrangement.

Le bonhomme Létourneau, qui n'avait jamais pardonné à son gendre la naissance de Jérémie, n'y entendit que ce qu'il voulait bien. Dans toute cette affaire, Levy n'avait cherché qu'à s'emparer de sa terre de l'Isle-à-la-Fourche. Fallait-il être aveugle pour ne pas s'en être aperçu! Il conclut l'entretien en disant que si jamais Tim avait l'audace de remettre les pieds dans sa maison, il s'accordait le droit de le traiter en intrus, c'est-à-dire de le chasser à coups de fusil.

Tim s'en retourna à ses affaires. Les derniers obstacles judiciaires furent levés en automne. Cyprien Létourneau fut consterné d'apprendre que le Juif avait rendu son bateau à Tim. Apparemment, quelques saisons de navigation suffiraient à son gendre pour renflouer ses affaires. Il n'y avait pas de justice pour ceux qui se conduisaient mal.

L'Émilie fut remis à l'eau. Tim se proposait de l'emmener jusqu'à Notre-Dame-de-Pierreville, où Cournoyer aurait tout l'hiver pour le bichonner. Il n'alla pas plus loin que le Port-Saint-François. Le moteur toussait et la pression montait dangereusement. Tim n'avait ni le temps ni les moyens d'engager quelqu'un pour l'aider à dresser un gréement de fortune qui lui aurait permis de faire voile sur le lac Saint-Pierre. La saison était trop avancée. On hissa *L'Émilie* sur la plage.

Tout un hiver de patience à l'île Lozeau. Tim en avait perdu l'habitude. Il maugréait pour une chaussette sale ou un verre d'eau renversé. Jean-Jérôme, qui secondait maintenant sa mère dans l'exploitation de la terre, évitait son père. Ils avaient des altercations à propos de tout et de rien.

Tim se gardait cependant d'affronter Émilie. Depuis l'affaire Nastasie, une bêtise était une bêtise et s'appelait par son nom; une erreur, elle mettait le doigt dessus. Cette attitude rigide était toutefois compensée par des bouffées d'affection qui la prenaient au moment le plus inattendu: Tim avait-il la tête enfoncée dans l'armoire aux conserves, elle le saisissait par la taille, elle le tirait de là et elle le secouait comme un gros chien. Un baiser à l'église sans que personne s'en aperçoive, des enfantillages délicieux. Ainsi tout l'hiver pour oublier la succession de drames des années précédentes.

Ce n'avait pas été une saison exceptionnellement rude. La neige avait tardé à tomber. On disait dans ce cas-là que l'hiver commençait en mouton; l'adage voulait que dans ces circonstances il finisse en lion. Il n'y fit pas défaut. Il neigea après Noël et un froid intense avait sévi en janvier et en février. Mars s'imposa brutalement là-dessus et toute la neige s'en alla en eau vers les cours d'eau gelés. À la fin du mois, on pouvait dire que deux royaumes se superposaient: celui du dessous gardait une rigidité de roc tandis que celui d'en haut cherchait à vivre. Il en résulta de profonds bouleversements. La glace de la rivière s'était couverte d'eau. Les fossés débordaient, les champs devenaient des lacs, les falaises déversaient des cascades et malgré tout cela, la glace de la rivière ne cédait pas.

Deux éléments contribuent, à Nicolet, à déclencher la débâcle: de fortes pluies suivies de vents du sud-ouest. L'un de ces phénomènes vient-il à faire défaut que la glace pourrit sur place jusqu'aux mers de mai. Par contre, l'excès de pluie et des vents violents peuvent entraîner la catastrophe. Il plut pendant une semaine. Au bout de ce temps, le vent tira Tim de son lit en pleine nuit, Émilie inquiète à ses côtés. Ils savaient tous deux ce qui se préparait. Ils se regardèrent en silence et se comprirent: Émilie veillerait à la maison, Tim devait aller voir ce qui se passait dehors.

Le bruit que faisaient les glaces de la rivière était effrayant. Des gémissements de femme en travail. Un frisson parcourut Tim: sa mère!

Marie vivait toujours dans sa petite maison du Port-Saint-François. Les gens disaient qu'elle était atteinte d'une douce folie qui lui faisait attendre contre toute vraisemblance le retour de son Hyacinthe. Elle cultivait son jardin, cueillait des fruits sauvages et des noix, ramassait des herbes et soignait les villageois qui n'avaient cessé d'avoir recours à ses bons offices, malgré la suspicion que soulevait son comportement.

Depuis qu'Émilie Létourneau était entrée dans sa vie, à l'école anglaise de Miss Marler où sa mère l'envoyait, et qu'il l'avait épousée, Tim n'avait plus beaucoup fréquenté Marie. Celle-ci vieillissait en épanouissant sa beauté. La solitude ne lui pesait pas. Dans son esprit, Hyacinthe n'avait jamais cessé d'être à ses côtés.

Tim savait fort bien que les plus grosses débâcles emplissaient le Port-Saint-François comme un tonneau. Il fallait faire vite. Il n'était pas question de remonter le cours de la Nicolet sur sa rive ouest jusqu'à la ville; les glaces devaient avoir commencé à se fracasser devant l'église. Il fallait traverser devant l'île Lozeau pendant que c'était encore possible. La glace tenait toujours mais elle était couverte d'eau. Tim s'y jeta comme un perdu.

Il avait de l'eau à la taille. Il ne sentait plus ses jambes. L'eau glaçée les avait engourdies. Il entendait dans les ténèbres le grondement du fleuve, tout près, qui se déchargeait de ses glaces. Le temps de prendre pied sur la rive et l'eau s'était mise à monter. Cela signifiait que les glaces de la rivière, emportées par le courant, s'étaient glissées sous la carapace intacte de l'embouchure et s'y étaient accumulées pour former un embâcle. Tim savait qu'à moins d'une rupture prochaine de ce bouchon, toutes les basses terres, jusqu'au Port-Saint-François, seraient inondées. Il ne lui restait plus qu'une seule chose à faire s'il ne voulait pas passer la nuit dans un arbre, attendant du secours, et c'était de courir le plus vite possible à Nicolet qui est bâtie sur un promontoire. Il avait prévu juste: l'eau courait sur la route derrière lui.

Il y avait des lumières à toutes les maisons; les rues étaient fréquentées comme en plein jour. On colportait les nouvelles les plus invraisemblables, que l'eau avait envahi toutes les terres depuis le Port-Saint-François jusqu'aux abords de Nicolet, sur plus d'une demi-lieue de distance, que les maisons en étaient pleines jusqu'au grenier, que même celles qui étaient construites sur des buttes étaient touchées et qu'un embâcle comme on n'en avait jamais vu s'était formé devant Trois-Rivières. Il ne faisait pas de doute que les rues de cette ville étaient inondées.

Le vieux collège était tout illuminé. L'édifice avait été divisé en logements depuis que le nouveau se dressait derrière, dans le bocage. Le parloir s'y trouvait encore, comme antérieurement; les gens s'y étaient spontanément réunis pour discuter des mesures à prendre. Tim entra.

Il s'enquit d'une barque qu'il voulait emprunter pour aller au Port-Saint-François. Pas question de partir en pleine nuit. Pour le rassurer, on lui rappela que les habitants du Port-Saint-François, comme tous ceux des rives du fleuve, avaient l'habitude de pareilles mésaventures auxquelles ils étaient toujours préparés. Toutes les barques de Nicolet avaient été réquisitionnées. On se rendrait en convoi au Port-Saint-François à la première lueur du jour. Il y aurait sa place s'il le désirait.

La nuit s'annonçait longue; un cauchemar envahit Tim quand le vent changea de direction. Qu'on se représente la situation: si un embâcle s'était vraiment formé, comme on le disait, devant Trois-Rivières, cela signifiait que toutes les eaux du fleuve et les glaces qu'il charriait s'y étaient butées, auquel cas l'eau s'était certes mise à monter, mais la glace aussi, de telle sorte que des murs de glace hauts comme les maisons devaient se dresser devant le Port-Saint-François. Ce vent du nord-est, c'était tout ce qu'il fallait pour faire chavirer le village comme un vieux trois-mâts; il fracasserait l'amoncellement des glaces contre les maisons.

Il ne faisait pas encore jour quand ils se mirent en route. Les torches et les lanternes donnaient un aspect lugubre au cortège. Ils naviguaient dans les champs; il s'y soulevait des vagues auxquelles le lac Saint-Pierre n'aurait rien eu à envier.

Le jour se levait quand ils arrivèrent à proximité du but. La première chose qu'ils aperçurent fut un petit poulailler flottant à la dérive, le toit en bas, entre les arbres de l'érablière des Manseau. Plus près, des débris de toutes sortes, pans de murs, chaises, vêtements et images pieuses dans leurs cadres, se balançaient au gré des vagues. La barrière des arbres leur cachait encore toute l'horreur du spectacle qui s'offrit à leurs yeux quand ils y eurent pénétré: il ne restait plus du Port-Saint-François que des montagnes de glace sous lesquelles gisaient les restes des maisons qui n'avaient pas été emportées.

La barque dans laquelle Tim se trouvait en longea une qui était renversée, remorquant la porte d'un hangar sur laquelle on avait dû empiler en hâte les choses les plus précieuses qu'on possédait et que les vagues dispersaient çà et là. Des familles entières dérivaient dans des embarcations qu'on ne se donnait même plus la peine de diriger. Un chien, dressé sur un bloc de glace, hurlait sans s'arrêter. Il y avait du monde dans les arbres. Le Port-Saint-François était anéanti.

Les gens en compagnie desquels Tim se trouvait se disputaient sur la conduite à suivre: chacun avait quelqu'un qu'il fallait chercher en premier. Tim n'était pas différent d'eux. Ils ne seraient jamais parvenus à s'entendre si les occupants d'une autre barque ne leur avaient appris que la demeure du capitaine Landry avait été épargnée et que la plupart des habitants du village y avaient cherché refuge. Tim ne mit pas longtemps à se rendre compte que sa mère ne s'y trouvait pas. Il fit ce que chacun aurait fait: il s'empara de la première barque qui était restée sans surveillance et il partit dans la direction où le vent et les vagues avaient dû entraîner les épaves.

Il trouva Marie une heure après, assise sur le toit d'un hangar qui s'était coincé entre des arbres, les lèvres et les doigts bleus, apparemment privée de raison. Tout juste le reconnut-elle. Ils étaient à mi-chemin de la demeure du capitaine Landry et de la maison des Bellerose. Tim couvrit Marie de tout ce dont il put se dépouiller et il dirigea sa barque vers la maison des Bellerose.

Celle-ci avait été épargnée; l'érablière, qu'on avait eu soin de préserver derrière, l'avait protégée des glaces. C'était en outre une assez grosse maison de pierres des champs dont la solidité contrastait avec les précaires constructions que la British American Land avait fait ériger au Port-Saint-François.

Le père d'Hyacinthe, Ismaël Bellerose, avait tenté d'y implanter les racines de sa famille après avoir été expulsé de sa maison du Port-Saint-François en 1837. Il l'avait achetée à son retour de Sorel, où il n'avait pu reprendre goût à la vie. Ses fils, cependant, n'avaient pas été à la hauteur de ses attentes; à la mort de leur père, Michel et André avaient tout juste pris le temps de le mettre en terre avant de s'en aller. Pendant plusieurs années la mère Bellerose y avait vécu seule, le coeur serré, en attendant de mourir à son tour de chagrin et d'ennui. La maison était restée vide longtemps.

Le rez-de-chaussée était plein d'eau. Tim aida Marie à monter à l'étage. Il l'allongea sous des couvertures et il alla ouvrir les volets. La maison dérivait sur un paysage de commencement du monde.

Tim ferma les yeux. La vieille maison avait une respiration. Elle vivait dans l'attente du dernier Bellerose qu'elle pût accueillir, Hyacinthe...

***

J'avais quitté l'Australie sans trop savoir où les courants m'entraîneraient; les gens avec lesquels je m'étais embarqué se souciaient bien peu de l'endroit où ils allaient. Ils avaient passé la plus grande partie de leur vie à chercher à oublier ce qu'ils laissaient derrière eux.

Pour ma part, j'étais disposé à mettre un point final à l'écriture du petit cahier noir dans lequel j'avais consigné les grandes péripéties de mon séjour aux terres australes. Il m'apparaissait qu'une autre boucle de ma vie s'était refermée.

Pour être moins douloureuse que la première, cette traversée ne comporta pas moins son ample provision de tourments: la faim, le froid, la soif, la fatigue, voire même la peur. Nous n'avions pas tardé à nous rendre compte qu'un seul de nos compagnons, le baleinier Stewart, que les autres surnommaient «Troubles», s'y entendait vraiment en navigation. Quand la nécessité l'emmenait à se retirer, il laissait aux hommes du quart suivant des directives qui n'étaient à peu près jamais suivies, d'où son surnom, évoquant ses lamentations quand il découvrait qu'on avait complètement effacé la route qu'il avait tenté d'imposer au navire au terme de laborieux calculs.

L'océan Pacifique n'est pas un meilleur compagnon que l'Atlantique; on dirait que les mers sont des obstacles intentionnellement dressés sur le chemin des hommes.

Tour à tour cuits par le soleil et mordus par le froid, nous en venions à considérer l'immensité qui s'étendait de tous côtés sous nos yeux avec le regard absent de gens qui ont l'esprit dérangé.

Au début, mes compagnons se cherchaient constamment querelle; tout leur était prétexte à bagarres. Les semaines et les mois passant, ils en vinrent à s'ignorer l'un l'autre et celui qui les commandait, le baleinier Stewart, avait beaucoup de mal à tirer d'eux quelque effort concerté.

Nous relâchâmes à quatre reprises pendant cette navigation. Ce n'était pas peu de chose que d'aborder une côte inconnue; nous avions tous quelque raison de craindre l'autorité. Je mentirais si je ne disais pas qu'il nous est arrivé de casser des cadenas pour piller des hangars à la faveur de la nuit. La loi des hommes nous y contraignait; celle de Dieu nous jugera.

Nous n'avions pas tenu un compte rigoureux de notre navigation, mais j'estimais que nous étions en mer depuis quatre mois environ quand le commandant Stewart me prit à part pour me révéler que selon les estimations qu'il avait faites, nous devions toucher terre sous peu, soit au Mexique, soit en Californie, qui était une possession mexicaine au nord de ce dernier. Il me demanda ce que je comptais faire à notre arrivée et je lui répondis la vérité: je n'en savais rien.

Après mon départ du village de Langlois et du chantier canadien, j'avais vécu comme un sauvage à l'intérieur des terres et je n'avais plus eu de nouvelles de mes compagnons d'exil. L'ambassade de monseigneur Spalding à Londres avait-elle porté fruit? Les Patriotes canadiens étaient-ils rentrés dans leur pays?

Stewart insistait pour connaître mes intentions; je n'avais aucune raison de me méfier de lui. Depuis que nous avions quitté l'Australie, j'avais appris à respecter cet homme dont les qualités de coeur et de raison étaient évidentes. Qu'il fût accablé de la marque indélébile qui fustige les forçats ne lui ôtait pas ses vertus. J'étais, justement, dans la position de savoir que ceux qui avaient été exilés aux terres australes n'étaient pas tous de dangereux hors-la-loi.

Ce n'est pas sans un pincement au coeur que j'évoquai la femme que j'avais laissée derrière moi; je ne doutais plus qu'elle ait refait sa vie en mon absence. Nos rapports n'avaient jamais été simples; tout le village réprouvait notre conduite et moi-même, je n'avais à peu près jamais vécu de façon continue avec elle. Elle était entrée dans ma vie par le biais de cet enfant irlandais que j'avais adopté et que je lui avais confié. Quant à celui-ci, il représentait, avec une jeune femme que j'avais vu mourir d'une affreuse maladie, le plus précieux de ce qui habitait ma mémoire. Je m'étais cependant convaincu, au fil des années de mon exil, que la meilleure attitude à suivre à son endroit serait de ne pas intervenir dans le cours de sa destinée d'homme comme un fantôme douloureux. Il n'était pas question, en conséquence, que je retourne vivre à Nicolet.

Mais le Canada? Il symbolisait maintenant pour moi une mère qui a trahi son enfant. Je n'étais pas pressé d'aller me jeter dans ses bras.

On m'objectera que mon attitude était d'autant plus injustifiable que j'avais été condamné à l'exil pour m'être porté à la défense de mon pays. Je répondrai que je n'avais jamais pris parti au nom des grandes idées qui agitent les philosophes et ceux qui se préoccupent de la chose publique; j'étais intervenu pour tenter de redresser quelques injustices criantes commises à l'endroit de ceux de ma famille et de la femme à qui j'avais confié mon enfant. J'ajouterai enfin que les années d'exil auxquelles j'avais été contraint m'avaient enseigné une nouvelle vérité: ce que l'on prend pour de l'attachement pour son pays n'est que l'ignorance de ce qui se passe ailleurs. Une fois passé le moment de la séparation, on découvre que les sentiments sont les mêmes d'un bout à l'autre de la terre. Je finis donc par dire à Stewart que s'il avait quelque projet à me suggérer, j'étais disposé à l'entendre.

Il commença par me démontrer qu'un homme qui avait fait plusieurs fois le tour de la terre à bord de ces cercueils flottants que sont les baleiniers — il avait passé plus de temps de sa vie en mer que sur terre — en avait assez entendu pour s'être fait un point de vue sur à peu près chaque contrée. La Californie était de celles dont on pouvait dire qu'elles étaient favorables à l'établissement de gens comme lui et moi. Que devions-nous attendre, en effet, de l'endroit où nous débarquerions? Deux choses essentiellement: que les autorités ne nous embarrassent pas de questions et qu'on nous y laisse arracher notre subsistance à la terre.

Il finit par s'ouvrir de ce qu'il avait en tête: il n'avait pas l'intention d'errer jusqu'à la fin de ses jours sur les sept mers du globe. Nous pourrions nous établir tous les deux et cultiver une parcelle de l'opulente terre de la Californie. Il se laissait entraîner par des visions de moutons gras et de femmes dans des cuisines ensoleillées. Je lui répondis que si l'occasion s'en présentait, je serais honoré de m'associer à lui dans une pareille entreprise. Il n'en fut pas dit davantage cette fois-là.

Nous fûmes en vue de la côte à la fin du jour. Stewart fit abattre les voiles et préféra se laisser porter par le courant qui poussait au large; il n'avait pas l'intention d'aborder en pleine nuit. Le lendemain, le jour ne se leva pas davantage que les jours suivants. On eût dit que le ciel et la terre étaient inversés, les nuages à ras des flots. Mais il nous fut loisible de nous approcher de la côte à la faveur d'une éclaircie et nous pûmes entendre le concert de dizaines, sinon d'une centaine de cornes de brume dans lesquelles on soufflait sans s'interrompre. L'effet en était lugubre. Était-ce la terre qui se lamentait ou la mer qui cherchait à se plaindre?

J'aperçus le port de San Francisco au milieu du jour, le lendemain. Une forêt de mâts se dressait devant nous. Mon compagnon n'en croyait pas ses yeux; la dernière fois qu'il avait vu l'endroit, il y avait sans doute dix ans de cela, ce n'était qu'un humble établissement mexicain composé essentiellement de huttes et de tentes sur les rives, et de quelques bâtiments dressés par les missionnaires sur les collines. À en croire le nombre de mâts qui s'y pressaient maintenant, San Francisco devait être devenue une ville opulente.

Il nous fut facile d'entrer dans le port et de mouiller sans attirer l'attention, au milieu de tout le désordre qu'entraînait l'arrivée en même temps des dizaines de navires qui avaient été retenus au large les jours précédents par le brouillard. Nous ne tardâmes pas à découvrir la raison de cette effervescence: nous étions en juin 1849; trois ans plus tôt, une courte guerre entre les États-Unis et le Mexique avait permis à la confédération des états américains de s'emparer de la Californie; qui plus était, deux ans plus tard, on avait trouvé de l'or sur les contreforts de la Sierra Nevada. Depuis, les navires de toutes les parties du monde n'avaient cessé de converger vers San Francisco. Plusieurs de ceux dont nous apercevions les mâts étaient dans le port depuis près d'un an maintenant: les équipages les avaient désertés pour aller tenter la chance de l'or.

Mon compagnon fut tout de suite attiré par cette manne dorée; il chercha à me persuader de le suivre dans cette aventure. Je résistai fermement, convaincu que notre destin n'était pas dans cette voie. J'étais disposé à gratter la terre pour en tirer les fruits les plus beaux, non pas dans l'espoir de lui arracher des cailloux prétendument précieux dont la plus grande vertu était de rendre fous ceux qui les possédaient.

Nos débuts furent difficiles, il faut le reconnaître. Nous avions dressé une cabane dans une vallée des fameux contreforts de la Sierra Nevada, devant un ruisseau bienveillant, et les pâturages naturels qui s'offraient à nous promettaient beaucoup, mais il fallait d'abord nous équiper des instruments essentiels pour travailler la terre et gagner de quoi acheter nos premiers animaux. Ce furent les chercheurs d'or qui nous fournirent les moyens d'y parvenir. Nous étions sur le passage de leurs caravanes. Avec le peu d'argent qu'ils nous donnaient à l'aller pour les abriter une nuit, nous avions pu acheter de quoi bien les accueillir au retour.

Ainsi, au fil des mois et des années, notre ferme devint-elle assez fréquentée; je ne veux pas laisser entendre que nous tenions une véritable auberge. Nous nous intéressions d'abord à l'exploitation de notre terre, mais mon compagnon était plus que moi attiré par les récits des découvertes fabuleuses que les chercheurs d'or avaient faites à moins d'une journée de marche de notre maison. Un matin, je le trouvai pieds nus dans le ruisseau, penché sur une batée dans laquelle il tamisait les pierres de notre cours d'eau. Son raisonnement n'était pas dépourvu de sens: si les chercheurs d'or avaient trouvé des pièces de ce métal précieux dans la montagne, il n'était pas impensable que notre ruisseau, qui en descendait, en ait transporté dans son cours. Son intuition se vérifia peu de temps après: il entra dans la cabane en bondissant comme un homme privé de raison: il avait deux pépites d'or de la grosseur d'un raisin séché dans la paume de sa main.

Cet événement devait changer la vie de mon compagnon et la mienne. D'abord, plus je m'acharnais à tirer le maximum de notre exploitation agricole, plus mon associé s'en désintéressait. Il finit par me déclarer tout net qu'il me cédait sa part de l'entreprise; je n'avais pas de quoi la lui payer. Il me fit remarquer que nous n'avions demandé à personne la permission de nous établir en cet endroit et qu'en conséquence il me vendait sa moitié de la ferme pour la même somme qu'il l'avait payée, ce qui revenait à dire qu'il me la donnait. Je n'aurais pas accepté ce marché de dupes si je n'avais été convaincu que mon baleinier converti en chercheur d'or n'avait une fois pour toutes mis un terme à sa carrière d'agriculteur. Il partit peu de temps après rejoindre les autres visionnaires qui s'épuisaient à creuser la montagne. Je l'avais assuré qu'il trouverait en toutes circonstances, sous mon toit, une hospitalité indéfectible. Je ne m'attendais pas à ce qu'il en use de la façon dont il allait le faire le printemps suivant.

J'avais six vaches et vingt moutons, deux chevaux et de bons pâturages. Mes poules à elles seules auraient suffi à me nourrir. Le produit de mes transactions avec les chercheurs d'or de passage m'avait gratifié d'un petit pécule que j'avais enfoui dans une cassette de fer dans mon jardin. Sans vivre dans l'opulence, je n'avais sans doute jamais été aussi à l'aise de toute ma vie. Il est vrai que la solitude me pesait, mais comment faire autrement? La compagnie d'une femme, surtout, me manquait. Il est étonnant de constater qu'on peut fort bien vivre plusieurs années sans profiter du réconfort d'une présence féminine à ses côtés, pourvu qu'on se maintienne dans des conditions d'austérité. Sitôt qu'un début d'aisance vous arrive, vous rêvez de parfums et de frous-frous. Mon ancien associé allait ajouter à mon tourment en débarquant chez moi, un matin de printemps, de retour d'un hiver au cours duquel il avait mené la grande vie à San Francisco, en compagnie d'une bande de joyeux lurons auxquels s'étaient jointes trois filles au caractère plein de fantaisie.

Ce n'était pas la fine fleur des salons. Ces demoiselles avaient connu le sort de celles qui trouvaient à s'embarquer sans payer leur passage à bord des navires qui quittaient la côte est de l'Amérique pour cingler vers les terres pleines de promesses de l'ouest. Elles avaient vécu dans des tentes qu'on démontait chaque jour pour les rebâtir un peu plus loin, à mesure que le chemin de fer progressait dans les montagnes du Colorado et de l'Utah. Elles y avaient rencontré des Chinois, des Mexicains, des Espagnols et des gens de toutes les nationalités qui les avaient soumises à bien des caprices. Il n'en restait pas moins que leur joyeuse présence dans ma cabane semait le trouble en moi. Elles parlaient des maisons luxueuses de la ville, de repas copieux et de boissons dont j'ignorais même le nom.

Mon ancien associé et ses compagnons avaient retenu leurs services pour la campagne de prospection qu'ils allaient entreprendre et qui leur redonnerait, à coup sûr, l'aisance à laquelle ils étaient déjà parvenus et dont ils étaient revenus aussi vite qu'ils l'avaient atteinte. Une dispute s'éleva entre eux cependant à la veille même de leur départ et l'une de ces jeunes femmes, dont le prénom était Mavis, refusa de les suivre plus avant dans leur folle équipée. Je me retrouvai seul avec elle.

Elle était de petite taille, plutôt grassouillette et portait sur son visage la trace des nombreux excès auxquels la vie l'avait exposée. Elle n'en avait pas moins un coeur qui s'effarouchait quand on élevait la voix et le goût, comme toutes les créatures, d'un peu de répit dans la tourmente qui l'emportait. J'en fis la compagne qui me manquait.

Mavis n'était cependant pas douée pour les travaux de la ferme. À peine se fut-elle rétablie, en quelques semaines, du tumulte de sa vie passée qu'elle se mit à me tourmenter pour que je l'accompagne à la ville. Les animaux étaient aux pâturages, ils pouvaient se suffire à eux-mêmes pendant plusieurs jours, je me résolus donc à atteler l'un de mes chevaux à une longue charrette dont j'avais fait l'acquisition et nous partîmes pour San Francisco. J'avais pris soin de prélever à même la cassette du jardin ce qu'il fallait pour assurer notre subsistance.

La ville avait au moins triplé de taille depuis que je l'avais traversée, quelques années plut tôt. Un incendie, toutefois, en avait détruit tout un quartier l'hiver précédent. On me dit que les moeurs dissolues qui s'y pratiquaient, le jeu, la prostitution et l'ivrognerie, menaient à toutes sortes d'excès dont les manifestations extrêmes n'étaient rien de moins que le meurtre et le feu. On me désigna des gens dont l'apparence extérieure était en tous points semblable à celle des brigands et qui s'étaient donné pour tâche de protéger les honnêtes citoyens de la ville. Ils se faisaient appeler *Vigilantes*. Je ne tardai pas à constater qu'ils avaient au moins autant de forfanterie dans le coeur que les forbans qu'ils se donnaient pour mission de pourchasser. Pendant ce séjour à San Francisco, je fus témoin d'une pendaison sommaire dans la rue et je vis un voleur, la tête enveloppée de bandages, à qui on avait purement et simplement coupé les oreilles après qu'on l'eût pris sur le fait.

Mon intention, en écrivant ces lignes, n'est pas de passer, aux yeux de ceux qui les liront, pour un modèle de vertu. Je dois donc à la vérité de dire que mon séjour à San Francisco ne fut pas différent de celui des chercheurs d'or qui y revenaient périodiquement. En conséquence, la somme que j'avais prélevée sur la cassette de mon jardin fut bientôt épuisée. Je retournai seul à la ferme. Un spectacle de désolation s'offrit à ma vue: la cabane avait été incendiée, les clôtures arrachées et les animaux emportés. Quelque compagnie de prospecteurs peu scrupuleux avait fait main-basse sur mes biens. Il ne me restait plus rien.

Je revins à San Francisco en réprimant un sentiment de rage. Je ne devais m'en prendre qu'à moi de ce qui m'était arrivé; je n'aurais jamais dû laisser la ferme sans surveillance. La Californie était une terre où on vivait toutes voiles dehors, les sentiments exacerbés. Je compris que j'avais eu tort de vouloir y pratiquer un mode de vie qui s'apparentait mieux aux moeurs paisibles des gens du Bas-Canada qu'à l'ambition démesurée de ceux qui avaient convergé vers la côte du Pacifique comme vers une terre promise. Je me résolus à hurler avec les loups.

Les fortunes se faisaient et se défaisaient à San Francisco avec autant de rapidité que le brouillard se forme ou se dissipe. Une petite conserverie était offerte en vente. J'en fis l'acquisition avec ce qui restait de mes économies.

Ce n'était pas une grosse affaire, tout au plus un hangar branlant suspendu au-dessus de l'eau, au bout des quais, une ruine qui ne valait pas trois sous, mais qui abritait le bien le plus précieux qu'on pût trouver sur la côte ouest américaine: une machine à vapeur destinée à sceller le couvercle de ces cercles de métal dans lesquels on commençait à mettre en conserve des fruits, des légumes, du poisson ou de la viande et que les prospecteurs emportaient avec eux dans leurs expéditions.

L'établissement était passé entre plusieurs mains au cours des précédentes années: un entrepreneur frappé soudain par la fièvre de l'or, un prospecteur chanceux qui avait cru pouvoir arrêter sa course, un homme d'affaires emporté par les ravages de l'alcool. La machine était en mauvais état. Je trouvai dans le quartier du port un Chinois qui me jura qu'il pourrait la remettre à neuf à bon compte. C'était un homme d'un âge indéfinissable, pauvre comme tous les Chinois à leur arrivée dans l'Ouest et qui avait travaillé un certain temps à la construction du chemin de fer dans l'Utah. Il se nommait Ling. Jamais je ne le vis sourire, tout au plus daignait-il lisser de sa main droite les longs poils soyeux de sa barbe pour marquer sa satisfaction. Il était couvert d'un chapeau de paille en toutes circonstances et il portait une veste élimée dont je ne parvins jamais à le faire changer, même après lui en avoir offert une neuve.

J'ai passé plus de vingt années de ma vie en compagnie de Ling dans cette conserverie du port de San Francisco. D'engagé, j'en ai fait un associé, puis un frère. C'est à sa minutieuse patience, à son ingéniosité sans limites que je dois la relative prospérité à laquelle je suis parvenu. En récompense de ses bons et loyaux services, je n'ai pas hésité à engager tour à tour ses frères, ses cousins et semblables, tant et si bien qu'à ma seule exception, ma conserverie était entièrement peuplée de Chinois.

Cet état de fait devait me valoir pendant longtemps la suspicion des *Vigilantes* qui étaient toujours disposés à accuser les Chinois de tous les méfaits qui se commettaient dans la ville. Ma fermeté à l'endroit de ces «justiciers» faillit bien des fois m'attirer de graves ennuis. Je résistai pourtant en toutes circonstances. Ling devait toutefois tomber, victime des émeutes anti-chinoises qui se propagèrent en 1877 dans le quartier chinois de la ville. Ce fut une perte dont je ne me suis pas encore consolé.

J'avançais en âge. J'avais atteint l'aisance, j'avais vu installer les réseaux de fils de fer suspendus à de longs poteaux fichés en terre et qui apportaient la lumière dans les maisons aisées et les établissements de commerce, il m'avait été donné de parler, à quelques reprises, dans le cornet des téléphones qu'on trouvait à présent dans la plupart des grands hôtels de la ville, j'avais assisté à des représentations à l'opéra en compagnie de dames élégantes, j'étais repu de réussite et de nouveautés.

Six ans après la mort de Ling, je me résolus à prendre la route de mon pays pour aller finir mes jours à l'ombre des grands pins qui avaient bercé mon enfance. Je vendis la conserverie. Je montai dans un wagon du chemin de fer qui reliait maintenant le Pacifique à l'Atlantique. Pour tout bagage, je n'avais qu'un sac de cuir à la main, lequel contenait quelques vêtements, cinq pépites d'or, tout mon argent et une de ces cornes de brume dont le son mystérieux avait salué mon arrivée à San Francisco plus tôt. J'avais soixante et onze ans. Nous étions au printemps de 1883.

***

Tim avait passé une partie de la semaine avec sa mère dans la maison des Bellerose. La vieille Marie s'était promptement rétablie des émotions qu'elle avait subies lors de la débâcle du Port-Saint-François. Au début, leurs conversations avaient porté sur la légitimité de leur présence dans cette maison. Marie ne s'y sentait pas à son aise. De son côté, Tim soutenait qu'elle pouvait l'habiter en toute quiétude; elle appartenait tout autant à Hyacinthe qu'à ses frères Michel et André, lesquels seraient fort mal venus d'en interdire l'usage à une vieille femme qui n'avait plus de toit. Tim se chargerait d'ailleurs de les prévenir.

Marie et Tim s'étaient bien peu fréquentés depuis le mariage de ce dernier avec Émilie Létourneau; la circonstance leur permit d'évoquer le passé et le présent au cours de longues soirées qu'ils passèrent en tête-à-tête devant le poêle. Marie se plaisait à rappeler le souvenir d'Hyacinthe dont elle grandissait les faits et gestes. À l'entendre, Hyacinthe Bellerose avait été l'auteur d'actions d'éclat qui avaient sauvé les petites gens du Port-Saint-François d'une vie misérable. Tim s'agitait sur sa chaise en entendant sa mère. Il finit par éclater:

— À quoi ça sert d'éveiller les morts?

— À donner du souffle aux vivants.

Tim quitta sa mère le lendemain en promettant de lui rendre visite plus souvent. C'est en passant au Port-

Saint-François pour constater l'ampleur des dégâts qu'il apprit une nouvelle qui l'atterra: son bateau avait été détruit comme tout le reste par les glaces. On en avait retrouvé les débris épars jusque devant les Trois-Rivières.

De retour à l'île Lozeau, il ragea et tempêta comme un enfant. Émilie le laissa faire le temps nécessaire, puis elle le coinça dans le lit, un soir que le monde était en train de se refaire, dehors. Il ne savait plus penser; elle s'en chargea pour lui.

Il était vrai que, dans les circonstances, il n'était pas question de remettre le solde de l'emprunt que Tim avait contracté auprès de Benjamin Levy. Conséquence de la situation, la terre que Cyprien Létourneau avait hypothéquée en faveur de son gendre restait entre les mains du marchand des Trois-Rivières pour aussi longtemps que l'emprunt ne serait pas entièrement remboursé. Cela n'était certes pas de nature à faciliter les rapports entre le gendre et le beau-père. Émilie insista pour dire qu'il ne fallait pas attacher trop d'importance aux hauts cris que pousserait son père; il fallait avant toutes choses se tirer honorablement de là. Elle était toujours disposée à gérer la terre de l'île Lozeau, d'autant plus qu'elle avait Jean-Jérôme pour la seconder. De son côté, Tim devait aller s'expliquer franchement avec le marchand qui saurait probablement lui proposer une façon d'arranger les choses.

À quelques temps de là, Tim alla donc trouver Benjamin Levy dans sa boutique basse de la rue du Platon aux Trois-Rivières. Il développa le plan qu'il était venu exposer. Tout reprendre depuis le début ne l'effrayait pas. Il avait encore sa tête et ses deux mains et c'était plus que suffisant. Il fallait toutefois éviter qu'en perdant sa terre de l'Isle-à-la-Fourche, son beau-père triomphe. Il proposa de travailler pour Levy le temps qu'il faudrait pour racheter l'hypothèque. Travailler sans rémunération, s'entendait. Le marchand faisait non de la tête.

Tim insista. Il avait connu sa part de déboires ces derniers temps. Il était prêt à supporter cela. Une chose, cependant: il ne voulait rien devoir à son beau-père. Voilà pourquoi il accepterait même les plus basses besognes; mais le marchand hochait toujours la tête.

Tim éclata. Debout, il emplissait la boutique de ses gestes.

— Je viendrai sortir le fumier de vos écuries chaque matin jusqu'à ce que vous ayez compris que je ne suis pas un homme qui se laisse humilier.

Benjamin Levy laissa Tim souffler sa tempête. Encore tout ruisselant de colère, ce dernier se tut enfin. Alors le marchand se mit à parler à son tour de sa petite voix étale.

Il ne pouvait accepter l'offre de monsieur Bellerose, du moins pas dans les termes qu'il venait d'entendre. En agissant ainsi, il aurait profité de la faiblesse de quelqu'un qu'il estimait trop.

Ne tenant plus en place, Tim écouta cependant le marchand poursuivre son exposé. Il avait le plus grand respect pour l'ambition de monsieur Bellerose. Plutôt que d'abuser de lui, il désirait lui venir en aide.

Levy était justement ennuyé par un contretemps: il avait fait bûcher du bois tout l'hiver sur des terres dont il avait la concession le long de la Nicolet. Au moment où on s'apprêtait à faire flotter ce bois pour l'emmener à la scierie que les frères Grandmont exploitaient à l'embouchure de la rivière, son chef d'équipe lui avait fait savoir qu'une consomption l'empêchait de finir son contrat. Monsieur Bellerose ne pourrait-il pas le remplacer?

Tim ne fut que trop ravi de retrouver avec Jérémie les berges de la rivière. Ce qu'il allait entreprendre représentait tout ce que le pays avait développé de force et d'ingéniosité. Mener du bois qui marche comme un troupeau docile sur une rivière en crue n'était pas une tâche d'enfant. Diriger des hommes dont le plus grand plaisir consistait à sauter d'un billot à l'autre, sans jamais se mouiller, pour aller défaire à l'aide de leurs longues gaffes des embâcles de bois, exigeait une poigne exceptionnelle. Le tout s'effectuant dans l'effervescence d'une nature qui vous faisait éclater soudain sous les yeux un vol de canards noirs, une procession d'outardes ou le passage indifférent d'un grand héron bleu.

Tim n'eut pas le loisir de jouir bien longtemps de sa nouvelle occupation. Une nuit que le vent avait des accents de création du monde, le bois sauta les estacades qui sont les clôtures de ces prés-là. Plus rien au matin. Ne restait plus aux hommes qu'à marcher sur les berges de la rivière, la gaffe à l'épaule, jusqu'à ce qu'on ait retrouvé les billots. Ils allèrent ainsi jusqu'à l'embouchure de la rivière pour constater que les quelques pièces qui n'avaient pas filé dans le courant du fleuve s'étaient échouées sur l'île Moras.

C'était une île voisine de l'île Lozeau, au bout de laquelle se dressait le brise-lames de l'entrée de la rivière. Une terre inondée chaque printemps, cernée de saules tordus par les glaces de la débâcle, à l'intérieur de laquelle on avait cependant aménagé quelques prairies. Elle appartenait à Cyprien Létourneau.

Constatant que son bois s'y trouvait, Tim pressentit qu'il valait mieux le récupérer au plus tôt. Le temps de prendre les dispositions nécessaires et le lendemain, Tim et ses hommes abordèrent l'île sous l'oeil hargneux de deux paysans à la retraite, le fusil de chasse à la main, à qui Létourneau avait bien fait comprendre qu'il interdisait à quiconque de mettre pied sur l'île, encore moins de prendre le bois qui s'y trouvait.

Tim rentra à la maison pour fondre sur Émilie. On voyait à présent où menaient les manigances de son père. Il la somma de prouver qu'elle prenait son parti en allant trouver Létourneau pour lui faire entendre raison.

Émilie n'était pas d'humeur à se faire bousculer. Si Tim avait affaire à son père, qu'il fasse ses commissions lui-même! Qu'il aille donc le voir s'il avait encore la naïveté de croire que Cyprien Létourneau était toujours en mesure de juger des choses et des gens! Mais si Tim était un homme digne de ce nom, il aurait la décence de ne pas affronter inutilement un vieil homme qui tournait en rond dans sa maison.

Sur ce, Émilie attela une voiture légère et disparut promptement au bout du chemin des terres d'en haut. En chaussettes et en bretelles sur la galerie, Tim se grattait les cheveux.

Tim retourna chez Benjamin Levy. Il évita de laisser voir sa colère, parlant d'une voix posée et exposant les faits avec clarté. Cette attitude lui valut une nouvelle proposition de la part du marchand.

Celui-ci venait de mettre sur pied, avec Moses Falensbie et John Saunders, une société qui exploiterait une scierie dans la paroisse de La Visitation. Ses deux partenaires ne contribuaient que financièrement à l'opération. Lui-même n'entendait pas traverser le fleuve chaque jour pour y aller voir. On s'était mis d'accord pour trouver un gérant. Monsieur Bellerose ferait très bien l'affaire.

Lévy continua son exposé en disant que ses associés et lui-même reconnaissaient la faiblesse de leur position en ce qu'ils n'entendaient rien à la marche d'un pareil moulin. En conséquence, ils avaient décidé de s'associer un partenaire qui, faute d'argent peut-être, investirait ses connaissances dans l'affaire. La construction de l'ouvrage représentait un déboursé de quatre mille piastres. Bien mené, le moulin pouvait rapporter cette somme chaque année. Les profits seraient distribués selon un système compliqué d'où il ressortait que le gérant toucherait un vingtième du brut.

Qu'en était-il des dettes? Monsieur Bellerose renoncerait à sa part des profits du moulin en faveur de Levy jusqu'à son plein remboursement. Toutefois, pour que le gérant puisse remplir ses fonctions sans devoir aller chercher sa subsistance ailleurs, les associés consentaient à lui verser un salaire pendant la période où il ne participerait pas à la redistribution des profits. Cent piastres par année, lequel montant étant toutefois déduit des profits, le remboursement de la dette s'étalerait sur une plus longue période.

Tim accepta. Le bois qui s'était échoué sur l'île Moras? Levy remettrait l'affaire entre les mains d'un des nombreux avoués qui passaient leur temps à fourrager dans ses papiers.

La terre sur laquelle Benjamin Levy et ses associés se proposaient de bâtir leur moulin était aux portes de forêts sombres et sonores. De Nicolet, on remontait la rivière pendant une heure; la proue de l'Isle-à-la-Fourche se dressait soudain; on prenait l'embranchement de droite et on filait encore un peu jusqu'à un cap glaiseux où se dressait un village bourré de promesses: La Visitation.

Tim reconnut sans peine l'endroit qu'on lui avait décrit: sous le village, sur la terrasse de la rivière, une terre mitée de roches et de sapins avec une maison de planches brutes au fond. Amand Ricard l'attendait d'ailleurs. Il avait été prévenu, on ne savait trop comment, que d'opulents entrepreneurs s'intéressaient à son établissement. Il finassa. Tim, de son côté, n'était simplement pas dans la position de quelqu'un qui pouvait rentrer aux Trois-Rivières en annonçant un refus ou même un délai. Jambes écartées, la pipe de plâtre brûlante entre les doigts, Ricard résistait. Tim le cerna. Cent livres de patates par année contre un droit de passage; le bois d'une maison neuve en échange de l'autorisation de tracer un chemin dans la côte; transport gratuit sur les bateaux de l'entreprise. Ricard allait céder. Il voulut le faire avec élégance. Il entraîna Tim dans une petite promenade qui les conduisit sur un plateau, à l'écart du village, d'où on pouvait contempler le moutonnement du paysage.

Le pays était là dans toute sa vérité: la rivière, le village, la forêt. Peu de routes. Des gens patients, le dos toujours courbé sous la charge, le pas prudent, ne se redressant qu'à peine les dimanches aux portes de leurs petites églises de bois.

— Ça n'a l'air de rien, dit Ricard, mais c'est un très bon endroit pour le commerce. Il y a du monde partout, d'ici jusqu'à Nicolet. En remontant la rivière aussi. Tous des gens qui ont du bois à vendre. De quoi faire prospérer un moulin.

Tim répondit que c'était précisément ce qui l'amenait.

Ricard céda. Il était prêt à signer sur le champ le bail par lequel il concédait pour quatre-vingt-dix-neuf ans l'usage de sa terre à la société du moulin Despins.

Le succès de Tim auprès d'Amand Ricard incita Benjamin Levy à reconsidérer l'hypothèque qu'il détenait sur la terre de Cyprien Létourneau. Tout bien pesé, cette garantie n'avait plus de raison d'être. L'apport de Tim Bellerose à la société du moulin Despins était une assurance suffisante en regard de sa dette. Lévy signa des papiers en conséquence. Ne restait plus qu'à informer monsieur Létourneau de la bonne nouvelle. Monsieur Bellerose ne s'en chargerait-il pas avec beaucoup de plaisir?

Plutôt que de courir chez son beau-père, Tim préféra retourner la question une nuit entière dans le lit d'Émilie. D'abord soulagé de ne plus rien devoir à un homme qu'il ne respectait plus, il avait ensuite songé aux insultes et aux menaces dont il avait été l'objet de sa part. N'était-il pas en mesure, maintenant, de réparer l'injure?

Émilie disputa: Tim n'était pas de ceux qui se complaisaient dans de basses mesquineries; s'il n'était pas capable de présenter la chose sans arrogance, elle ferait elle-même la commission. Cela vaudrait mieux pour tout le monde. Elle connaissait assez son père pour savoir qu'une nouvelle confrontation entre lui et son gendre pourrait avoir des conséquences tragiques. Le fusil? Rien à craindre de ce côté; Cyprien Létourneau l'avait trop brandi verbalement tout au cours de son existence pour que sa fille en soit effrayée. Ce qu'elle redoutait, c'étaient les représailles sournoises. À présent que Tim avait repris pied, il fallait à tout prix éviter les affrontements inutiles. Et Cyprien Létourneau n'était pas homme à se laisser braver sans ruminer de sombres pensées.

Le bois, c'est la vie. Pour le soumettre, il faut conjuguer les forces de la pierre, de l'eau et du fer. Tim commença par sentir le vent et regarder couler l'eau de la rivière. Assis devant sa tente, il réchauffait son thé sur un petit feu de branches en rallumant patiemment une pipe qu'il laissait s'éteindre. Il était attentif aux frissons des feuilles des arbres. Les variations des couleurs de l'eau provoquées par le passage des nuages retenaient son attention. Il écouta plusieurs nuits de suite la respiration du courant.

Il se mit ensuite à explorer les berges de la rivière. L'endroit qu'avait choisi Benjamin Levy pour construire le moulin était un coude de l'embranchement sud-ouest de la Nicolet, à deux lieues environ de son embouchure, une section où l'eau coulait franchement après avoir bondi sur plusieurs rapides successifs. Toutes les conditions étaient réunies: la berge avait la hauteur qu'il fallait pour épouser celle de la chaussée, il ne serait pas trop ardu de creuser le canal de dérivation dans la glaise de la première terrasse et il y avait abondance de pierres dans la rivière même. On était en juin. Certains travaux préliminaires devaient être exécutés le plus rapidement possible si on voulait profiter des mois où le niveau de l'eau était à son plus bas, juillet, août, voire septembre, avec un peu de chance.

Tim ne se souvenait pas avoir goûté un plaisir plus grand que celui qu'il éprouva le matin où il se retrouva devant une quinzaine d'hommes rassemblés à l'emplacement du moulin. Le tracé du canal de dérivation était prêt depuis la veille. On avait emmené sur une barge deux chevaux à qui on entendait faire tirer du sol les souches et les pierres qu'il pouvait receler. Les arbres des environs fourniraient les pièces nécessaires pour étançonner l'ouvrage. Les cheveux roux dans la lumière, bretelles fières et sourire sur ses lèvres fines, Tim s'octroya le privilège d'enfoncer le premier sa bêche. Un formidable hourra marqua le début des travaux.

Des jours mangés de sueur et des nuits bruissantes d'insectes. Un cheval s'enlisa. Des cabestans cassèrent. Un homme se tordit une cheville et il fallut le remmener à Nicolet sur un brancard posé au fond d'une barque. Tim était partout à la fois. Des tonnes de glaise étaient en train de changer de place. Il s'agissait ni plus ni moins de faire entrer la rivière dans un nouveau lit. Une dizaine d'engagés s'affairaient à cette tâche. Les cinq autres passaient leurs journées dans la rivière à recueillir sur une charrette tirée par un cheval récalcitrant toutes les pierres qu'ils pouvaient soulever. Et le soir, à l'heure où les derniers oiseaux étiraient le jour, Tim et ses compagnons n'avaient nul besoin de se parler pour se dire tout le plaisir qu'ils éprouvaient à cette activité.

Fin juillet, tout le paysage était dévasté: des collines de glaise bleue et des tas de roches deux fois hauts comme un homme. On allait entreprendre la délicate opération de mise en place de la chaussée.

Entre-temps, Émilie était allé rencontrer son père qui s'était montré fort méprisant à l'endroit de Tim Bellerose.

— Ma fille, cet homme-là ne respecte ni rien ni personne.

— Il se bat comme tout le monde.

— Il fait le jars pendant que toi tu le remplaces à la ferme.

— Je lui ai dit qu'il pouvait compter sur moi.

— Il finira par te dévorer.

— Je sais me défendre.

— Même moi qui ne suis pas le premier venu, il m'a bien eu.

— Votre terre est libérée; l'hypothèque est levée.

— C'est un piège qu'il me tend.

— Vous allez trop loin.

— Et toi, pas assez!

Tant et si bien qu'à la fin, le bonhomme Létourneau avait sommé sa fille de quitter cet homme qui faisait le déshonneur de la famille. Pour la première fois de sa vie, Émilie avait affronté son père avec violence. Elle défendit son mari. Ce faisant, elle dut porter des coups, dire des vérités, ne rien ménager. En s'en retournant à la maison de l'île Lozeau, elle avait pleuré de rage tour à tour à l'endroit de son père et de son mari.

À quelques temps de là, une altercation éclata de part et d'autre de la rivière. Cyprien Létourneau venait de constater avec indignation que la chaussée du moulin Despins s'appuyait sur la berge de sa terre de l'Isle-à-la-Fourche. Brandissant sa canne, il invectivait son gendre:

— Qui t'a permis?

— La rivière est à tout le monde.

— Pas la rive!

— On n'enlève rien à votre terre.

— Tu ne l'emporteras pas en paradis!

Le bonhomme Létourneau eut beau faire l'épouvantail, Tim n'en donna pas moins l'ordre à ses engagés de poursuivre leur besogne. Létourneau alla chercher son fusil sous le banc de sa voiture. Deux coups en l'air et tous les ouvriers du chantier étaient à couvert. Tim resta seul au milieu de la rivière, les jambes bien écartées, les mains sur les hanches.

— Allez-y donc! Tirez!

Le fusil fumait entre les mains de Létourneau.

— Pour la dernière fois...

Tim se pencha pour prendre une pierre qu'il déposa dans le coffrage de la chaussée. Les plombs d'une cartouche crépitèrent à ses côtés. Alors il se mit à courir, de l'eau à la taille, un crochet de fer au bout du poing, en direction de son beau-père. Ce dernier recula jusqu'à sa voiture, le fusil toujours pointé.

C'est en rentrant chez lui, à la suite de cet incident, que Cyprien Létourneau avait eu le coup de sang qui devait le laisser paralysé de tout le côté gauche du corps. Des gens qui l'avaient vu passer, renversé sur son banc, l'avaient mené en hâte chez le docteur Saint-Cyr. Le mal était fait.

Les mois qui suivirent contredirent les plans de tout le monde. Létourneau n'était pas préparé à cette diminution physique qui lui donnait l'air d'un insecte sur lequel une main rageuse se serait abattue sans parvenir à l'exterminer. Tim, de son côté, n'avait pas la sagesse suffisante pour affronter sereinement les coups du sort. Dès les premiers jours d'août, il plut des clous. Lui et ses ouvriers se recroquevillèrent sous leur tente, transis des pieds à la tête et se séchèrent du mieux qu'ils purent, c'est-à-dire à la chaleur du feu de leur pipe. Trois jours. Le quatrième s'ouvrit sur un vent du sud. L'eau de la rivière était toute noire. La nuit de ce quatrième jour, tandis que l'équipe essayait vainement de se réchauffer sous des couvertures toujours trempées, le vent, qui avait encore forci, souffla si fort que personne n'entendit le travail de l'eau qui défaisait à grands coups de remous l'ouvrage de bois, de terre et de pierres qu'on avait dressé sur son passage. Au matin, il ne subsistait plus rien de la chaussée. Le niveau de l'eau était si haut et le courant si fort qu'il ne fallait plus songer à prendre pied dans la rivière. On dut attendre une semaine pour tout recommencer.

En août, cependant, Tim et ses ouvriers avaient réparé la chaussée et s'affairaient à installer la grande roue dans le canal de dérivation, le moulin se dressant au-dessus d'eux dans toute la puissance de son bois neuf. Ils commencèrent pourtant à remarquer des allées et venues suspectes sur l'Isle-à-la-Fourche. Des hommes et des chevaux. Ils firent comme si le temps les pressait de finir leur ouvrage. Peine perdue. Fin août, un des engagés de Tim se présenta au chantier en gesticulant comme s'il venait d'être frappé de démence. On finit par tirer de lui la nouvelle stupéfiante que le bonhomme Létourneau avait entrepris de construire lui aussi un moulin, légèrement en amont de celui de Tim. Le vieil infirme surveillait lui-même les travaux. Ses hommes achevaient de creuser leur canal de dérivation. Quand il serait terminé, il ne resterait plus assez d'eau dans la rivière pour actionner celui de Tim.

Trois jours plus tard, les paysans des environs furent alertés par de lourdes fumées qui montaient du fond du paysage. Ils se précipitèrent de toutes parts. C'était le bois entassé pour la construction du moulin Létourneau qui brûlait. Tout était dévasté. En rentrant chez eux, les plus astucieux firent le détour du côté du moulin de Tim. Il était intact mais désert. On se garda de formuler à voix haute les conclusions qui s'imposaient. Personne n'avait envie de se trouver coincé entre le gendre et le beau-père. La vérité, c'était que le feu avait été accidentellement mis par Létourneau lui-même qui était allé clopiner à l'insu de tout le monde sur le chantier, après la tombée du jour, et qui avait renversé sa pipe sur un tas de bran de scie. Devant l'ampleur de l'incendie qui en avait résulté, le vieillard avait préféré se retirer.

Les jours qui suivirent ne fournirent pourtant pas la moisson d'éclats qu'on attendait. Un orage qui couve. Létourneau ne s'était pas déplacé pour aller constater les dégâts. Tim était retourné à l'île Lozeau. Les deux chantiers restaient abandonnés.

C'est dans la boutique du marchand des Trois-Rivières que la tempête se leva. Benjamin Levy, qui n'avait pas l'habitude de se mettre en colère, le fit avec d'autant plus de fracas.

— Je sais que c'est vous.

Tim niait. Le marchand bouillait.

— Vous n'êtes qu'un enfant, monsieur Bellerose, fort heureusement d'ailleurs, seriez-vous un homme que je vous traiterais de lâche ou d'imbécile ou les deux à la fois.

Tim niait toujours, ce qui avivait la colère de Levy.

— Alors, écoutez-moi bien, puisque vous ne voulez rien admettre. Nous sommes associés, pour le meilleur et pour le pire, et j'ai pour principe de respecter mes engagements. Tant que je n'aurai pas la preuve que c'est vous qui avez commis cet acte criminel, je continuerai de vous considérer comme mon partenaire. Mais je vous prie, et je pèse bien mes mots, je vous prie de vous faire oublier quelque temps et surtout de ne commettre aucune autre bévue qui vienne compromettre la tâche que je vais entreprendre.

Benjamin Levy tournait en rond autour de Tim, le doigt pointé sur lui.

— Voyez-vous, poursuivit-il, on dirait que tout ce que vous touchez finit en catastrophe. S'agit-il de faire flotter du bois sur la rivière, on le retrouve sur l'île de votre beau-père. Est-il question de bâtir un moulin, ce n'est toujours qu'un projet, et gravement compromis. Aussi bien vous le dire: je regrette de vous avoir fait confiance.

Tim se taisait. Levy n'avait plus d'autre ressource que de hausser encore le ton.

— Je vais vous dire une fois pour toutes le fond de ma pensée: je suis contraint de demeurer lié à vous parce que vous ne possédez rien. Maintenant allez-vous en. Je vais tâcher de réparer votre gâchis et je vous ferai mander le temps venu mais d'ici là, je vous en conjure, efforcez-vous donc de vous mettre dans les dispositions de quelqu'un qui n'a pas d'autre ambition que de réussir ce qu'il entreprend. Cela vaudra mieux pour vous comme pour moi. Je ne vous retiens pas, monsieur Bellerose.

Tim fit un pas pour s'en aller mais il se retourna vers le marchand qui était resté au milieu de la place.

— Nous sommes quittes, dit-il, à présent vous me devez des excuses comme je vous dois de l'argent.

Et il sortit sans refermer la porte.

Certaines nuits sont plus longues que d'autres; ce fut le cas de celle qui suivit ce jour-là. On aurait dit que les draps du lit suaient sous Tim Bellerose. Il était cloué à la vérité que Levy avait dite: «... tout ce que vous touchez finit en catastrophe.»

Facile à dire quand on reste assis dans sa boutique sur ses sacs d'écus et qu'on fait travailler les autres! Et pour qui sont-elles les catastrophes? Pour ceux qui cherchent à changer d'état!

Mais Tim se ravisa bien vite: des gens comme Levy et ses coreligionnaires n'étaient pas arrivés au Canada avec des sacs d'écus. Il était notoire qu'on avait cherché à les empêcher eux aussi d'améliorer leur condition. Pourquoi Tim avait-il échoué là même où le Juif avait réussi?

La longue face pâle de Létourneau siffla dans la pénombre. Tim se redressa. Émilie geignit dans son sommeil à ses côtés.

— C'est lui le coupable! Gros mangeur dans le râtelier des autres! Il m'a engraissé juste ce qu'il fallait pour satisfaire son appétit.

Assis sur son lit, Tim grelottait dans sa chemise de nuit. Létourneau était dix, vingt fois moins riche que Levy, mais cent fois plus hargneux. Vieux hanneton cruel qui se nourrit des échecs des autres!

Je l'ai toujours su, mais les mots ne me sont jamais venus aussi clairement pour le dire: les Canadiens français préfèrent ne rien avoir plutôt que de laisser un des leurs obtenir quelque chose. Voilà pourquoi ils seront toujours des étrangers dans leur propre pays; ils le pillent à mesure qu'il grandit. Ils préfèrent cueillir toutes les pommes avant même qu'elles soient mûres plutôt que de laisser quelqu'un d'autre en profiter.

Tim frissonna de reconnaître la voix de son père dans sa propre bouche. Il se secoua. Hyacinthe Bellerose avait la naïveté des faibles. Dans une circonstance comme celle où Tim se trouvait, il serait bêtement allé trouver Létourneau pour lui dire combien son attitude était injuste. La belle affaire!

Tim serra les dents pour ne plus laisser passer le souffle d'Hyacinthe. Il ne parviendrait peut-être pas à édifier l'empire qu'il avait rêvé mais ce ne serait pas faute de s'être battu. Sait-on faire autre chose quand le plus lointain souvenir qu'on a est celui d'une promenade entre les croix de bois d'un cimetière dans une île du Saint-Laurent où on vient d'enterrer vos parents et que vous avez à peine cinq ans?

Quelques jours plus tard, Tim apprit la nouvelle la plus déconcertante de sa vie; non seulement son père n'était-il pas mort, mais il était revenu. Il était dans la maison des Bellerose sur la rive du fleuve. Il attendait la visite de son fils.

Tim mit le pied dehors comme un enfant qui apprend à marcher. Il n'avait jamais eu si peur. Dans le cabriolet qui l'entraînait au-delà du Port-Saint-François, il exerça son imagination sur les bonnes raisons qu'il y aurait pour que son père soit déjà parti quand il arrive-rait. En entrant dans la cour de la maison des Bellerose, Tim se rappela le printemps précédent, quand il y avait emmené sa mère après la débâcle... Cette maison appar-tient tout autant à Hyacinthe Bellerose qu'à ses frères...

Tim frappa et attendit qu'on vint lui ouvrir. La vieille Marie était plus belle que jamais, bien droite, les cheveux tout blancs et une trace indélébile de sourire sur les lèvres. Devant elle, Tim ressemblait à un écolier pris en défaut. Elle le poussa dans la pièce.

Il était de dos. Il regardait par la fenêtre. Costume noir. De larges épaules. D'abondants cheveux blancs. Il se tourna lentement. Deux yeux de braise.

Tim fit encore un pas. Les mains tendues sans rien saisir. Ils se jetèrent enfin dans les bras l'un de l'autre.

Leurs corps ne se reconnaissaient pas. La main n'avait pas l'habitude de l'amplitude de l'épaule, la taille s'ajustait mal au geste du bras. Ils restèrent enlacés un moment, inconfortables mais ne se décidant pas à se lais-ser. Ils finirent par s'asseoir à la table de la cuisine où les attendait Marie.

Hyacinthe regardait Tim et se mettait à sourire. De son côté, Tim ne quittait pas son père des yeux, mais il ne le reconnaissait pas. Tim était incapable de départager ce qui tenait du souvenir véritable de ce qui relevait du culte que Marie avait entretenu en lui à l'endroit de son père.

Hyacinthe et son fils échangèrent à peine quelques phrases. Il y aurait eu trop à dire. Tim prétexta le soin des animaux pour s'en aller. Il avait promis de revenir le len-demain. Il tarda jusqu'au soir. Puis jusqu'au jour sui-vant. Il n'était pas pressé de revoir son père. Il voulait se ménager le temps de donner un coup de balai à ses émo-tions.

Septembre roussit. Octobre flamboya. Tim profita d'une visite qu'Émilie faisait à son père pour fouiller dans le coffret aux papiers. Il y trouva le document relatif à la propriété de la terre de l'île Lozeau qu'il alla cacher sous la marche amovible de l'escalier de la cuisine.

Une autre saison rude s'annonçait. Depuis une bonne dizaine d'années, contrairement à toute attente, le cours des denrées ne remontait pas. C'était dû en grande partie aux investissements que les financiers avaient faits dans les villes pour mécaniser la production et qui avaient lourdement taxé l'économie. Tim en parlait avec les paysans des environs quand il les rencontrait au bureau de poste que les messieurs Chillas venaient d'ouvrir dans l'ancien collège des Frères. Un de ceux-ci en profitait toujours pour glisser des remarques sur la responsabilité qu'il fallait attribuer à ceux qui avaient poussé les paysans à s'endetter pour acheter d'abord ces fameuses machines mues par la force des chevaux, les «horse-power», puis qui les avaient pratiquement contraints à abandonner ces appareils trop simples et peu dispendieux pour les remplacer par de véritables machines à vapeur. Ils avaient voulu se mettre au service du progrès, mais le nouveau dieu n'avait pas tenu ses promesses. Les paysans étaient endettés, leurs produits ne se vendaient plus tandis que les gros pouvaient se permettre d'attendre une éventuelle reprise, confortablement installés sur leurs coussins bourrés d'écus.

— Réveillez-vous donc, grondait Tim, bande de veaux!

Mais les hommes enfonçaient leur chapeau sur leurs yeux et ils repartaient chacun de leur côté. Tim les regardait s'éloigner en haussant les épaules. La colère lui fouillait le ventre. Il rentrait à la maison de l'île Lozeau harassé comme un homme qui a bûché toute la journée.

— Des veaux! répétait-il à l'intention d'Émilie.

— Et toi, pour qui te prends-tu, un lion peut-être? Je trouve que tu dors beaucoup ces temps-ci, pour un lion.

Tim s'éveilla pour de bon le jour où le marchand des Trois-Rivières le convoqua de nouveau dans sa boutique. Il était enfin parvenu à un arrangement avec monsieur Létourneau. Levy avait fait valoir que les choses ne pouvaient en rester là. Personne n'avait jamais trouvé son compte dans des affrontements stériles. Chaque grief avait été soupesé, chaque objection contournée. Levy insista pour dire qu'il lui avait fallu beaucoup de patience et d'humilité pour entendre monsieur Létourneau faire état de tout ce qui les opposait. Il ajouta que la participation de monsieur Bellerose à l'affaire n'avait pas été le moindre obstacle à surmonter. Il s'étonnait d'ailleurs de la profonde animosité qui s'était creusée entre Tim et son beau-père.

Pour parler net, une des conditions de l'accord auquel il était parvenu écartait monsieur Bellerose de la gérance du moulin que Levy et Létourneau entendaient exploiter en commun à La Visitation. D'autres conditions avaient été posées. En ce qui concernait l'incendie des installations de monsieur Létourneau, il avait été convenu de laisser la justice suivre son cours, même si l'enquête ne devait jamais démontrer que ce méfait avait été commis par l'un ou l'autre des partenaires de Levy. Pour ce qui était du bois qui pourrissait sur les berges de l'île Moras, Levy avait été autorisé à le reprendre moyennant le versement d'une somme qui ne fut pas précisée, eu égard aux dommages que l'opération de recouvrement pourrait causer aux dispositions naturelles de l'île. Ne restait plus à Levy qu'à obtenir de ses anciens partenaires de la société du moulin Despins qu'ils se dessaisissent de leurs intérêts antérieurs pour les fondre dans l'actif de la nouvelle société. C'était chose faite en ce qui concernait Moses Falensbie et John Saunders. Pour ce qui était de monsieur Bellerose, le sujet était délicat, compte tenu que monsieur Létourneau avait bien fait comprendre au marchand des Trois-Rivières qu'il n'entendait vraiment pas s'associer, de près ou de loin, à une entreprise où son gendre aurait à voir de quelque façon que ce fût. Levy en avait été quitte pour promettre au premier qu'il s'efforcerait de faire entendre raison au second.

Son préambule achevé, le marchand tira une feuille de papier qu'il déposa sur le pupitre devant Tim. Ce dernier allait bondir, mais l'autre mit calmement ses mains ouvertes, les paumes tournées vers le haut, de chaque côté du document pour s'empresser d'ajouter:

— Mais n'allez pas croire, monsieur Bellerose, que je sois un ingrat. Je ne veux pas nier, malgré le peu de succès obtenu, que vous avez dépensé beaucoup d'énergie en vue d'atteindre les buts que je vous avais fixés. Je suis disposé, en conséquence, à quelques concessions en votre faveur. Certes, les temps ne sont plus aux entreprises audacieuses et je n'oublie pas, non plus, que vous me devez toujours une somme que je vous avais prêtée voici assez longtemps déjà, et que j'ai d'ailleurs augmentée récemment.

Le marchand regardait Tim dans les yeux.

— Il y a deux solutions. La première est la plus simple: vous renoncez à vos avantages et j'efface la dette. Si nous ne parvenons pas à nous entendre de cette façon, je me verrai contraint d'exiger le remboursement immédiat des sommes qui me sont dues et je sais que vous n'êtes pas en mesure de le faire. Réfléchissez bien, monsieur Bellerose.

Tim ferma les yeux. Ses poings se durcirent puis sa main droite se dénoua et il signa sans la voir, presque sans la toucher, la feuille de papier qui était devant lui. Il se leva. Le marchand se pencha pour constater que la signature était bel et bien inscrite à la bonne place. Il redressa la tête.

— Vous êtes un homme raisonnable...

Tim n'était plus là.

Il laissa son canot sur la berge du fleuve en face des Trois-Rivières. Il y avait à cet endroit un petit village qui pouvait encore prétendre à un brillant avenir, Sainte-Angèle-de-Laval. Un quai et une longue rue de sable bordée de maisons de bois. Une auberge pour les voyageurs. Une taverne au fond de cette auberge, une salle basse en appentis pour ceux dont la présence aurait pu ternir le lustre des deux grandes salles de l'avant. Tim s'y trouva fort à son aise et commanda des verres de rhum.

Piétiné. Un petit tas de poussière sur le plancher. Pitié, monsieur, pas le balai! Je serai un petit tas de poussière bien tranquille dans un coin de la salle arrière.

Tim commanda d'autres verres de rhum.

Fracassé. Les clochers arrachés. Toutes les portes éventrées. Des trous béants dans des murs de briques. Quelques poutres calcinées et le dernier rat à la cave.

Encore du rhum!

Brisé. Quelques os qui ne s'ajustent plus ensemble. Une pompe à sang qui défaille. Des ongles, des cheveux qui n'en finissent pas de pousser pour rien. Des gestes emmêlés. La tête creuse.

Quand il sortit de l'auberge de Sainte-Angèle, Tim ne se souvenait même pas d'avoir laissé un canot sur la berge du Saint-Laurent. Il se mit à marcher vers l'ouest sur le sable de la route. C'était en fin d'après-midi en octobre. Il pleuvassait. Le manteau ouvert, tête nue, il marcha jusqu'à la rivière Godefroy. Le bac qui la franchissait était sur l'autre rive. Sur l'embarcadère, il invectiva le père Champagne qui venait le chercher.

Il y a une forêt de pins de l'autre côté de cette rivière. Tim quitta la route et s'y enfonça. Une cathédrale de ténèbres. La pluie n'était plus qu'un bruit.

Tim ressurgit sur la route juste à temps pour héler une voiture conduite par une femme ridée qui disait n'avoir pas peur des hommes, fussent-ils ivres. Elle l'invita à grimper sur la banquette, à ses côtés, et lui fit chanter des refrains obscènes.

À Nicolet, il se fit déposer devant l'hôtel Lambert. Dans la salle, il ne trouva pas facilement son chemin entre les tables. Les pans de son manteau effleuraient les verres. On ne dit rien. Il alla s'asseoir au fond et exigea qu'Odile en personne vint lui servir un verre de rhum. Odile n'était pas en service. Madame Lambert elle-même s'acquitta de cette tâche. Tim la regarda s'éloigner comme si elle avait été un crapaud. Puis un autre verre. Jusqu'à la fermeture.

Il était minuit. La pluie ne savait plus trop si elle ne devait pas neiger. Il y avait des plaques de sable croustillant sur la route. Tim marchait dans le noir. Il ouvrait grand les bras. Il s'efforçait de consoler la nuit du mieux qu'il pouvait. Jusqu'à la rivière. Un souffle dans les ténèbres. Tais-toi donc, maudite rivière, tu ne sais pas ce que tu dis!

Il la suivit pourtant, non pas sur la route cependant, ce qui aurait été déjà passablement difficile en raison de la profondeur du noir, mais sur la berge, glissant sur de longues herbes couchantes, s'accrochant à des branches qui lui déversaient toute leur eau sur la tête et trébuchant sur des racines. Jusque devant chez lui, jusque devant l'île Lozeau. Il n'avait pas de barque pour traverser. Il prit une de celles du moulin Grandmont. Il était déjà assez loin au large, dans le courant, quand il s'aperçut qu'il n'y avait ni rame ni aviron ni gaffe dans l'embarcation.

Il fit comme quand il était enfant. Il s'allongea sur la pince avant de la chaloupe et il rama avec ses deux mains. Il enfonçait les manches de son manteau dans l'eau noire jusqu'aux coudes. Le courant l'emportait. Il aborda bien en aval de la maison.

Tim se mit à errer dans l'île. Il ne cherchait nullement à trouver le chemin de sa maison. Il allait d'un arbre à l'autre, les mains haut levées devant lui. Une clairière. C'était le pré aux moutons. Désert à cette époque de l'année. Il en fit le tour, renvoyé d'une clôture à l'autre. Un chien aboyait. Ti-Loup!

Tim marcha sur l'aboiement. Il avait soudain une furieuse envie de fourrer ses mains dans la fourrure de l'animal. Des bandes d'outardes surprises dans leurs larcins de nuit s'envolèrent. La nuit se diluait. Deux hangars vinrent d'abord à sa rencontre. Puis la grange. Le chien tirait sur sa chaîne. Il se fit de la lumière à l'étage de la maison. Tim ne la vit pas.

Les quatre marches de la galerie dansaient la gigue sous ses pieds. La porte s'ouvrit d'elle-même devant lui. Tim ne s'étonna pas qu'il y eût de la lumière à la cuisine. Émilie le regardait venir, les mains jointes sur la poitrine.

— Mon pauvre Tim!

Il n'avait plus de gestes. Les meubles se dérobaient devant lui.

— Je ne suis pas ton pauvre Tim.

Il fallait avoir été sa femme pour reconnaître des mots sous la pâte de sa voix. Émilie vint vers lui et le prit par l'épaule.

— ... Pas le pauvre Tim de personne.

Elle se mit à le guider dans l'escalier. Chaque marche franchie était un triomphe.

— ... Plus jamais le pauvre Tim de personne.

Émilie le pressait contre elle. Il se laissait faire. Il faisait seulement non de la tête et il montait laborieusement l'escalier.

— Le pauvre Tim de personne.

Il se jeta à plat ventre sur le lit. Émilie commença par lui retirer ses bottes mouillées. C'était difficile. Il ne faisait rien pour l'aider. Quand elle eut fini, elle le redressa pour lui ôter son manteau. Il dormait déjà.

Le lendemain matin, il profita d'une courte absence d'Émilie pour aller récupérer le document qu'il avait caché sous la marche amovible de l'escalier. Sa femme ne lui avait avait rien demandé de ce qui avait pu se passer la veille. Elle n'exigea pas non plus d'explications quand il annonça qu'il partait pour les chantiers d'hiver. Comme d'habitude, il emmenait Jérémie avec lui.

QUATRIÈME PARTIE

Le bois carré

«Des étrangers sont venus! Des étrangers sont venus! criait-il. Joson, Alexis! La montagne en est pleine! Tout le pays en est plein! Ohé! les gars, un coup de coeur! Nous sommes d'une race qui ne sait pas mourir.»

F.-A. Savard,
Menaud maître-draveur

Il y avait deux façons de gagner sa vie dans les chantiers de coupe de bois. La plus simple consistait à se mettre en rapport avec l'agent que les grandes sociétés entretenaient dans chaque ville importante. Pour peu que vous ayez deux bons bras et le coffre large, on vous engageait. On vous fournissait la nourriture tout l'hiver, deux couvertures et du tabac. Les gages, médiocres certes, mais intacts, vous étaient versés à la fin de la campagne, au printemps. Il ne vous restait qu'à trouver du travail sur l'un ou l'autre des radeaux qui descendaient le cours du Saint-Laurent pour que votre transport de retour soit assuré.

L'autre façon était plus exigeante, mais pouvait rapporter davantage. Il fallait d'abord établir de bonnes relations avec un des grands expéditeurs qui avaient des cours à bois dans le port de Québec. Ensuite, il s'agissait de recruter une quinzaine d'hommes que vous vous engagiez à nourrir tout l'hiver et à qui vous promettiez une part des profits au printemps. Enfin vous vous mettiez en rapport avec un contremaître d'une des grandes sociétés qui exploitaient d'importantes concessions de coupe de bois le long de la rivière du Nord, dans l'Ottawa, et vous vous faisiez désigner un emplacement où vous étiez autorisé à bûcher moyennant une redevance pour chaque arbre abattu. Si vous pouviez faire flotter vous-même votre bois jusqu'à Québec, la différence entre la commission versée à la société et le salaire de vos hommes, d'une part, et le prix obtenu dans les cours à bois de Québec, d'autre part, devait constituer votre profit. Qui pouvait être intéressant, selon les années et les circonstances.

À Montréal, Tim s'était installé dans un hôtel du quartier du port. Il avait recommencé à fumer les petits cigares qui étaient chez lui le signe d'une grande détermination. Il s'était fait désigner un jeune clerc de notaire à qui il entendait confier certains travaux «d'écritures». Après avoir envoyé Jérémie observer le mouvement des navires au port, Tim s'enferma avec son clerc de notaire. Une heure à peine suffit à rendre Tim seul et unique propriétaire de la terre de l'île Lozeau. C'était un travail d'artiste. Les ratures ne se voyaient pas et pourtant, il n'avait pas été facile de ramener au masculin un document entièrement rédigé au féminin. Satisfait, Tim offrit un cigare au jeune clerc qui s'empressa de le refuser mais qui n'en exigea pas moins un fort bon montant pour ses services.

Le lendemain dans la matinée, Tim marcha dans la rue Notre-Dame jusqu'à l'angle de la rue Saint-François Xavier. Il y avait là le siège de la Banque de l'Union occidentale anglo-canadienne. Un grand Anglais sec à favoris, un des adjoints du directeur, le reçut dans un petit bureau aux vitres opaques. Tim fit valoir qu'il entendait se lancer dans le commerce du bois. En conséquence, il désirait emprunter mille cinq cents dollars, de quoi nourrir et payer quinze hommes pendant l'hiver. Pour garantir son emprunt, il était prêt à hypothéquer la terre dont il avait apporté les titres de propriété. L'adjoint inscrivit à la mine de plomb, dans le coin inférieur gauche du document falsifié, toute une série de petits chiffres et de lettres qui constituaient l'ouverture du dossier. Il déclara qu'il faudrait attendre deux jours que ses supérieurs aient eu le temps de statuer, mais qu'à la place de monsieur Bellerose, il ne se ferait pas de souci.

Ce soir-là, Tim offrit un banquet à Jérémie, des cailles, une sauce lourde et du vin. Tim célébrait par anticipation le succès de sa démarche; Jérémie prenait simplement beaucoup de plaisir à la perspective de passer l'hiver aux chantiers en compagnie de son père.

Tim se vit effectivement confirmer deux jours plus tard que la Banque de l'Union occidentale anglo-canadienne lui consentait un prêt de mille cinq cent dollars. La somme lui fut d'ailleurs versée sur-le-champ. Il demanda à reprendre les titres de sa propriété. On lui dit qu'ils lui seraient rendus quand l'emprunt aurait été remboursé. On ajouta qu'il ne devait pas s'en faire, car le document serait conservé dans les coffres de la banque. Tim hocha la tête, l'air de dire que c'était très bien ainsi.

Il se mit ensuite en frais d'organiser sa campagne d'hiver. Six de ses anciens engagés lors de la construction du moulin Despins avaient été prévenus de se trouver à Montréal, au marché public de la rue Saint-Paul, à midi le quinze octobre. Ils s'y présentèrent comme convenu. Des six autres qui furent recrutés sur place, cinq étaient des Irlandais, le sixième, un nain de nationalité imprécise et qui transportait une pierre à aiguiser plus grosse que lui. Tim approvisionna son monde de couvertures, de haches, de pipes et de tabac. Le départ se fit vers les premiers jours de novembre. Le paysage avait été ravagé à coups de poing. Le tronc des arbres surgissait de la terre à grands cris. Chaque sentier raviné. Les rivières rugissaient. Les nuits craquaient. L'automne allait sombrer corps et biens dans l'hiver.

À pied, à cheval et à vapeur, ils arrivèrent en vue du camp de la société McManus Bros & Co. à la lueur de la neige. Tim Bellerose avait en poche un document attestant que cette société l'autorisait à couper des arbres sur les terres de sa concession, moyennant une redevance de soixante sous la pièce. Il avait versé cent dollars à un certain Gervais, l'agent qui lui avait consenti cet arrangement.

La barge qui transportait Tim et son équipe s'immobilisa devant le camp de la McManus sur la rivière du Nord. Les hommes s'ébrouèrent. Ils avaient froid. Ils avaient faim. Ils n'avaient à peu près pas dormi de la nuit, l'aménagement de la barge étant trop sommaire. Le petit vapeur qui la remorquait puait et grondait. Et maintenant ils allaient manger et se chauffer et fumer la pipe qui signifie qu'on est arrivé quelque part.

C'était un gros village au bord de l'eau, un village inusité qui n'avait à peu près pas de maisons individuelles. Partout, de grands bâtiments de planches avec des rangées de fenêtres. Des hangars tout autour. Une scierie comme on n'en avait jamais vu; en jetant un coup d'oeil au passage, on apercevait une batterie de scies verticales, il pouvait y en avoir une vingtaine.

Il était un peu passé six heures du matin et le jour flottait à peine sur les ténèbres. Pourtant, il régnait déjà une intense activité au village des frères McManus. Un va-et-vient incessant. Des chevaux attelés en paires qu'on menait dans toutes les directions. On en voyait qui revenaient en tirant de lourds traîneaux de bois brut sur lesquels quatre ou cinq hommes se faisaient porter. Plus loin, c'était un chargement disparate sur un tombereau: un poêle, de la toile de tente, des casseroles, des haches, de longues scies à dents, des barriques et des demi-barriques, tout un fourbi qui évoquait l'hiver. Il avait d'ailleurs neigé la veille, mais la terre n'avait pas pris cette neige au sérieux; il n'en subsistait que des plaques de-ci de-là. Pourtant, l'eau de la rivière du Nord était épaisse comme de la soupe aux pois. L'hiver pouvait vous tomber dessus à tout moment.

Tim sauta à terre et ceux de son équipe en firent autant: Jérémie, qui avait revêtu le chandail de laine bleue de son père; le nain occupé à faire suivre sa pierre à aiguiser; les deux Blaise, le père et le fils, qui suspendaient leur baluchon aux poignées de la scie qu'ils portaient à l'épaule; trois inséparables, Joseph, Antoine et Maurice, toujours en quête de quelque plaisanterie; Émile, un coeur d'or, c'était lui qui donnait le coup de main au nain pour transporter sa pierre; enfin, cinq Irlandais commandés par un certain Shoon, toujours prêt à se mettre en colère. Quatorze hommes en comptant Tim. Les sacs, les fusils, les caisses, les scies et la pierre à aiguiser encombraient tout le monde sur le débarcadère. Tim mena ses gens à l'écart sur un talus frissonnant de gelée et il leur dit de l'attendre là pendant qu'il irait débrouiller la question de savoir où ils devaient passer l'hiver. Il disparut en haut de la côte de sable. Ses hommes ne perdirent pas de temps pour mettre de l'eau à chauffer sur un feu de branches humides.

L'établissement de la McManus était l'un des plus importants de la rivière du Nord. Tim savait que plusieurs milliers d'hommes en dépendaient. Ceux-ci devaient être dispersés loin dans la forêt. Le village même était un lieu de transition. Des bureaux, des magasins, un réfectoire et la scierie. Tim décida de se présenter au bureau où il avait vu entrer et sortir des gens qui tiraient des bouts de papiers de leur bourse ou qui les y rangeaient.

— Conrad Gervais, vous le connaissez?

Il y avait bien une quinzaine de commis dans la salle. Pas un seul ne leva les yeux. Tim haussa le ton.

— Va-t-il falloir que j'aille chercher mon fusil pour me faire entendre? Je demande si vous connaissez un nommé Conrad Gervais.

Quatre personnes entrèrent à ce moment en coup de vent et des conversations animées s'amorcèrent entre des gens qui avaient l'air de se connaître. Tim restait toujours en plan devant la porte. Un commis se leva, rassembla ses registres et passa près de lui pour sortir. Tim l'accrocha par la veste.

— Toi, je sens que tu n'es pas sourd. Tu vas me répondre. Je cherche Conrad Gervais.

Le commis regarda Tim en-dessous et murmura: «Le bureau d'en bas.» avant de se dégager et sortir. Tim prit le temps de réfléchir à la situation. C'était évident: à peu près tout le monde arrivait par la rivière. En conséquence le bureau des premières démarches devait se trouver à proximité du débarcadère. Celui où il se trouvait devait être réservé à ceux qui menaient des transactions plus complexes. Il sortit et chercha le bureau d'en bas. Il y avait au moins deux bâtiments qui pouvaient correspondre à cette description, un grand et un petit. Il choisit ce dernier.

La porte était ouverte. Des gens entraient et ressortaient. Derrière un grand comptoir se tenaient six commis qui fouillaient dans des registres.

— Conrad Gervais, vous le connaissez?

— Que trop!

— Je demande où je peux le trouver.

— Vous n'espérez pas le voir ici?

Tim hésita. Le commis s'éloignait déjà.

— Attendez! J'ai un papier signé de la main de Gervais. Les jours raccourcissent. J'aimerais bien qu'on me dise où je dois couper mon bois.

Le commis s'arrêta à quelques pas du comptoir et il regarda Tim en fronçant les sourcils. Il revint vers lui et se mit à lui parler à voix basse.

— Écoutez, je vais être franc, mais que cela reste entre nous. Votre Gervais est un imposteur.

— J'ai donné de l'argent!

— Justement! Et l'engagement que vous avez sur ce bout de papier est nul.

— Vous n'allez tout de même pas me dire que je suis monté ici pour rien.

— Je suis en train de vous expliquer que vous êtes tombé dans un piège. Gervais n'est autorisé par personne à faire ces engagements. Nous ne sommes pas sa seule victime d'ailleurs. Plusieurs sociétés du Nord...

Le commis se pencha vers Tim, les coudes sur le comptoir.

— Je présume que vous êtes à votre compte...

Tim opina de la tête.

—... et que vous avez l'intention d'obtenir de la McManus l'autorisation d'abattre des arbres sur sa concession pour les vendre aux marchands des Coves.

— Rien de moins.

— Permettez-moi de vous dire, monsieur...

— Bellerose.

—... monsieur Bellerose, que vous vous engagez dans une aventure dont l'issue est pour le moins incertaine. Vous serez des centaines de paysans, le printemps prochain, à vous disputer le privilège de vendre votre bois à Québec. Les prix vont tomber, c'est certain, et vous vous retrouverez le bec à l'eau.

— Vendre mon bois, c'est mon affaire, mais encore faut-il que je le coupe.

Tim se pencha à son tour vers le commis et le prit aux épaules.

— Vous allez m'aider. Vous comprenez bien que je ne peux pas être monté ici pour rien. J'ai des hommes qui m'attendent dehors. Je veux un contrat. Je suis prêt à donner la même commission que j'ai versée à ce Gervais.

Le commis jeta un regard aux alentours.

— Il faut commencer par rayer ce nom de votre mémoire. Vous n'avez jamais rencontré Gervais. Il n'existe pas. Compris?

— Pas question, répondit Tim, je le retrouverai celui-là, mais je suis prêt à l'oublier en attendant que l'heure soit venue. Alors?

— Vous avez une toile de tente au moins? demanda le commis.

Tim fit signe que oui.

Le commis tendit le cou en direction de l'étroite fenêtre.

— À cinq minutes de marche, en remontant la rivière, il y a un plateau dégagé. Installez-vous là et veillez surtout à ne pas attirer l'attention. Si on vous demande ce que vous faites, dites que vous attendez quelqu'un pour gagner le secteur qui vous a été assigné. Moi, pendant ce temps, je tâcherai de vous marier.

Tim ne comprenait pas.

— C'est tout simple, expliqua le commis, nous n'avons plus d'emplacements à concéder cet hiver, du moins sur les plans de nos arpenteurs. Il arrive toujours, cependant, que des hommes qui ont des contrats en bonne et due forme arrivent ici avec des équipes restreintes. Ma tâche sera de convaincre un de ceux-là de partager son secteur avec vous.

— Je n'ai pas l'habitude de m'encombrer d'incapables.

— Cette fois, je ne vois pas comment vous pourriez faire autrement. Et puis, il ne manque pas de place...

— Combien de temps cela prendra-t-il? demanda Tim.

— Trois jours... une semaine tout au plus. L'hiver approche. Les derniers vont arriver. Ce sont souvent ceux-là qui sont les moins bien organisés.

— C'est bon, mais tâchez de faire vite. Mes hommes vons s'engourdir et je les nourris à rien faire. Et comment aurai-je de vos nouvelles, monsieur...

— Wedgewood. William S. Wedgewood. J'enverrai quelqu'un vous chercher.

— C'est bon, répéta Tim.

Le commis redressa.

— Un dernier détail, monsieur Bellerose...

Tim remit les coudes sur le comptoir.

—... combien avez-vous donné à ce Gervais?

— Cent dollars.

Le commis hocha la tête, l'air de dire que ce n'était pas beaucoup.

— Ce n'est pas assez? demanda Tim d'une voix outrée. En comptant ce que j'ai déjà déboursé, c'est deux cents dollars qu'il m'aura coûté ce contrat.

— Ce n'est tout de même pas ma faute si vous vous êtes laissé berner par un escroc. À l'heure qu'il est, si je ne vous trouve pas une place, vous êtes bon pour aller grossir les rangs de l'armée de Riel. Les Métis viennent de se soulever encore une fois comme il y a dix ans. La leçon n'a pas porté fruit au Manitoba. Les voilà qui recommencent à Batoche, mais ils n'auront pas le dessus sur la troupe.

— Les affaires des Métis ne me concernent pas, trancha Tim, qui regretta tout de suite cette parole.

Il pensait à sa mère, qu'on appelait Marie-Moitié, justement parce qu'elle était de ces gens-là...

— Ce sont des métis de Français, précisa le commis, alors il s'est trouvé des aventuriers de la province de Québec pour aller se battre à leurs côtés, mais ils n'iront pas loin, c'est certain.

— Combien? trancha Tim.

Wedgewood hésita.

— Comprenez-moi bien, monsieur Bellerose, je ne veux pas abuser de la situation. Disons cent-cinquante...

— Cent-cinquante, conclut Tim, mais faites vite.

Il fallait se retirer. Une dernière question:

— On peut acheter des chevaux par ici?

— Allez toujours voir aux écuries, mais il est certain que les meilleurs sont déjà partis.

— Moins ils sont bons, plus ils sont chers, dit Tim qui sortit en regardant son commis bien dans les yeux.

Il retrouva ses hommes autour d'une marmite où bouillaient des pommes de terre et un morceau de lard. Ils grognèrent quand ils apprirent qu'il fallait rester là quelque temps. Ils n'en montèrent pas moins la tente à l'endroit que Tim leur désigna et ils se mirent à attendre, la tête dans les épaules, en fumant des pipes qu'ils ne laissaient pas refroidir. À ce rythme, leur provision de tabac ne durerait pas tout l'hiver.

De son côté, Tim était allé acheter des chevaux, deux misérables bêtes qu'il paya soixante et soixante-quinze dollars respectivement. Du foin et un grand traîneau. Quelques poches supplémentaires de farine, un petit baril de lard salé aussi, à quoi deux cents autres dollars passèrent. En comptant la commission qu'il versa au commis le jour où celui-ci lui fit annoncer que son groupe était jumelé à celui d'un certain Véronneau, il avait dépensé plus de huit cents dollars avant même d'entreprendre sa campagne d'hiver. Il s'emmitouflait dans sa mauvaise humeur pour ne pas laisser voir à ses hommes qu'il était inquiet.

Véronneau se présenta au campement avec ses cinq hommes un soir qu'il pleuvait. C'étaient de toute évidence de pauvres diables qui ne montaient pas aux chantiers de bon coeur. On leur fit de la place sous la tente déjà fort encombrée et on écouta un certain Marcel raconter les misères qu'il avait endurées lors d'une semblable expédition l'hiver précédent. À l'entendre, c'était l'enfer assuré.

Tim l'interpella. Pourquoi n'était-il pas resté chez lui s'il ne croyait pas au succès de l'entreprise? Parce que des huissiers lui avaient interdit l'accès à sa maison; il ne remboursait même pas l'intérêt de l'hypothèque de sa terre depuis cinq ans. Plusieurs de ses voisins de Terrebonne étaient dans la même situation que lui. Son propre beau-frère — un petit homme noir aux yeux durs — connaissait le même sort. Si l'hiver qui venait était aussi rude et aussi peu profitable que le précédent, il ne moisirait pas dans les bois. Tim coupa court à ce discours déprimant en invitant tout le monde à se coucher. On partirait à la lueur du jour pour l'emplacement 61-A qui leur avait été imparti. C'était, leur avait-on dit, à une journée de marche, peut-être un peu plus.

Une semaine plus tard, ils couchaient dans le camp qu'ils avaient dressé au coeur de ce qu'ils s'amusaient à nommer leur «royaume». À flanc de colline, un boisé nerveux, des pins, des épinettes, quelques érables, très peu de chênes bien entendu. La McManus se réservait les meilleurs endroits. Pas de route non plus. Ils avaient dû marcher dans les broussailles entre les arbres, tirant leurs chevaux récalcitrants. Ils s'étaient vite rendu compte qu'ils ne parviendraient pas à monter le traîneau. Ils étaient redescendus le cacher au bord d'un petit chemin de traverse où ils l'avaient abandonné en même temps qu'une partie de leurs provisions. Leur plan était d'aller le plus loin possible et de revenir en abattant des arbres de telle sorte qu'ils se trouveraient à tracer un chemin sommaire dans la forêt par où ils pourraient transporter leur bois le temps venu. C'était une autre façon pour la McManus de mettre en valeur sa concession.

L'endroit que Tim avait choisi pour bâtir le camp était à mi-pente d'une forte colline qui s'ouvrait sur deux torrents, dont l'un était suffisamment près pour les approvisionner. Aucune clairière. C'était avec les arbres abattus pour dégager l'emplacement qu'on avait construit les murs de l'habitation. Pas de clous. Les troncs s'emboîtaient à tenons et à mortaises. Des troncs aussi pour le toit qu'on avait calfeutré de terre. Pas de fenêtre. Une porte suspendue à des charnières de cuir. Pas de plancher non plus. Le sol nu sur lequel on avait déposé un grand bac rempli de gravier du torrent et dans lequel on faisait le feu. Un trou dans le toit en guise de cheminée. Des litières de branches d'épinettes. Les deux chevaux logeaient dans le camp, séparés des hommes par une cloison basse; ils devaient contribuer à réchauffer les lieux. Jérémie avait été désigné pour remplir les fonctions de cuisinier, ce qui consistait essentiellement à peler des pommes de terre et à les faire bouillir avec un morceau de lard. Des fèves au lard pour varier. Un pain lourd que le jeune homme ne réussissait à peu près jamais. Des tartes à la mélasse le dimanche. De pleins seaux de thé pour faire passer le tout. La toile de la tente, dehors, abritait le peu de foin qu'on était parvenu à monter pour les chevaux.

Un vent de trois jours et trois nuits dépouilla les arbres à feuilles. La forêt s'éclaircit. On voyait loin. Les hommes trimaient. Chaque arbre abattu, un triomphe. Une fois le tronc ébranché, les manieurs de scie le coupaient en sections qu'on empilait en attendant, le temps venu, de les descendre en les faisant tirer par les chevaux jusqu'au chemin de traverse.

Il neigea, puis le temps se figea. De retour au camp, le soir, les hommes mangeaient à grand bruit, fumaient une pipe ou deux et s'endormaient sur leurs branches d'épinettes. Des jours, des semaines, un mois. Jérémie à ses côtés, Tim écoutait la lourde respiration des dormeurs. Il lui faudrait descendre bientôt au village des McManus pour faire rapport des activités de son groupe. C'était convenu, une fois par mois. Il devait verser à cette occasion une commission anticipée équivalente au nombre approximatif d'arbres abattus. Deux cents arbres à soixante cents chacun ne représentaient-ils pas la somme de cent vingt dollars? Il faudrait encore payer pour faire équarrir ce bois au moulin à scie le printemps venu. Acheter de nouvelles provisions pour le retour et se ménager la somme suffisante pour verser le droit de passer dans les glissoires qui étaient construites aux abords des chûtes et des rapides. De quoi s'endormir tard.

Mais, contrairement à ce que Tim pouvait croire, Jérémie ne dormait pas non plus. Il était trop occupé à soupeser le poids des révélations que lui avait faites Marcel, de l'équipe de Véronneau. Il y avait en ce moment même, sur ce continent démesurément grand, des gens qui se battaient pour qu'on ne leur enlève pas leur terre. Jérémie avait d'abord pensé que l'autre faisait allusion aux Indiens que l'arrivée des Blancs avait chassés. Mais Marcel avait précisé: des gens qui portaient des noms français comme tout le monde, métissés d'Indiens il était vrai, et qu'on voulait éliminer comme les animaux de la forêt.

Peu à peu, au hasard de conversations autour de la marmite de pommes de terre ou sous le prétexte de donner à Jérémie un coup de main pour laver les assiettes et les bols d'étain après souper, Marcel avait appris au jeune homme ce qui s'était passé au Manitoba dix ans plus tôt. Pour bien comprendre, il fallait remonter à 1867, l'année où la Confédération des quatre provinces avait été proclamée. Auparavant, le Canada était un territoire indéfini entre Québec et Montréal. D'autres villes avaient poussé et comme chacun était jaloux de son territoire, il avait fallu tracer des frontières.

C'était ça, le Canada de 1867, l'Union des deux Canadas, le Haut et le Bas, puis l'entrée en scène des provinces maritimes. Mais le gouvernement qui avait été mis en place pour gérer l'ensemble ne faisait pas exception à la règle: il était gourmand. Un peu bête aussi: il cherchait à imiter les États-Unis où la conquête de l'Ouest était commencée depuis longtemps.

C'était pourquoi on avait voulu annexer le territoire qui se trouvait à l'Ouest de l'ancien Haut-Canada. On en convoitait les richesses, disait-on, mais il y avait, précisait Marcel, une raison beaucoup plus grave à cette campagne. De nombreux Canadiens français s'étaient installés dans cette région; les Anglais voulaient les en chasser pour établir à leur place des colons protestants de l'Ontario. L'entreprise était d'autant plus justifiable aux yeux du gouvernement que les gens qu'on entendait déloger n'étaient que des métis de Français et d'Indiens et qu'ils n'avaient aucun droit écrit sur les terres qu'ils occupaient.

Jérémie n'était pas certain de bien comprendre tout ce que lui disait Marcel. Il ne s'était encore jamais intéressé aux lois, et encore moins aux gouvernements. Dans son univers, il n'y avait pas d'autres frontières que les clôtures. Les rivières et les forêts appartenaient en principe à tout le monde. Marcel attirait patiemment son attention sur le fait que l'endroit où ils se trouvaient avait été concédé à une société anglaise, la McManus. Pas question d'y couper du bois sans autorisation, et il fallait payer pour en obtenir une.

Marcel affûtait son exemple: la McManus irait jusqu'à lever une armée si les bûcherons envahissaient son territoire. C'était précisément ce qu'avaient fait les Métis de l'Ouest: défendre leurs terres. L'affaire avait débuté en 1868 quand le gouvernement des quatre provinces unies avait envoyé des équipes d'arpenteurs dans l'Ouest pour préparer le tracé de routes qu'on entendait ouvrir. Ces gens-là n'avaient tenu compte de rien de ce qui se trouvait sous leurs yeux: un Métis et sa famille avaient-ils défriché de peine et de misère une terre longue et étroite comme on le faisait dans la province de Québec? D'un trait de crayon, les arpenteurs la coupaient en deux. Une humble maison se trouvait-elle sur leur chemin? On y mettrait le feu le temps venu. Inutile de dire que les gens qui faisaient l'objet de toutes ces menaces commençaient à durcir les poings.

Le premier décembre 1869, la société qui administrait antérieurement le territoire convoité par le Canada l'avait vendu à ce dernier; la Compagnie de la Baie d'Hudson venait de gagner trois cent mille livres et il lui restait encore dix fois autant de terres que ce qu'elle avait cédé. La belle affaire!

Mais les Métis n'entendaient pas laisser le gouvernement du Canada s'engraisser à leurs dépens. Déjà, en octobre 1869, les Métis avaient dispersé des équipes d'arpenteurs et ils s'étaient élu un gouvernement à eux. Un nom était à retenir de ce gouvernement: son secrétaire, Louis Riel. C'était lui qui s'était emparé, peu de temps après, de Fort Garry pour en faire le siège de son gouvernement. Il était arrivé ce qui devait arriver: le Canada avait envoyé la troupe et il y avait eu des morts, des prisonniers et des fusillés. Et le soulèvement avait été maté. Le territoire convoité par le Canada était devenu la cinquième province du Canada en juillet 1870 sous le nom de Manitoba. Riel s'était enfui mais il n'abandonnait pas la lutte. Pour commencer, il s'était fait élire député; mais on ne l'avait pas laissé siéger et il avait cherché refuge à Québec, où il avait déjoué tout le monde en se faisant passer pour fou. Il avait consacré les trois années de son internement à jeter les bases, sur des bouts de papier et dans sa tête surtout, d'un monde meilleur où la troupe n'aurait pas le dessus sur les honnêtes citoyens, fussent-ils des Métis. Puis Riel avait été libéré et il s'en était allé aux États-Unis, ce grand pays de liberté, où il s'était marié et avait eu des enfants.

Mais l'inévitable s'était produit. En dix ans, le gouvernement avait eu le temps de digérer le Manitoba. Son appétit s'était refait. Au printemps de 1884, il annonça son intention d'annexer un vaste territoire adjacent au Manitoba pour en faire une sixième province qui prendrait le nom de Saskatchewan. Plusieurs Métis étaient les mêmes qui avaient été chassés du Manitoba une dizaine d'années plus tôt. Ils allèrent chercher Riel aux États-Unis et celui-ci accepta une fois de plus de prendre la tête de la résistance.

— À l'heure où je te parle, insistait Marcel, la bataille est peut-être commencée pendant que nous sommes là à fumer notre pipe comme des évêques.

Jérémie ruminait sa stupéfaction. À peu de temps de là, il s'en ouvrit à son père.

— Riel, les Métis de l'Ouest, vous en avez entendu parler?

— Ne te laisse pas monter la tête par toutes ces histoires qui ne te concernent pas.

L'hiver s'installa. Noël, puis le premier de l'an. Tim descendit au village de la McManus pour faire rapport de l'avancement de ses coupes de bois et effectuer son versement mensuel. Il ne rencontra personne qui ne sembla pas passionné par la nouvelle affaire Riel. Au dire de certains, le gouvernement n'attendait que les premiers signes du printemps pour envoyer la troupe écraser encore une fois la révolte des Métis.

Tim y réfléchissait plus souvent qu'il ne l'aurait admis. C'était une situation dans laquelle Hyacinthe, son père, n'aurait pas hésité à se jeter tête baissée. Il serait allé trouver le major Crozier avec qui, disait-on, Riel échangeait des ultimatums, pour dénoncer l'injustice de la situation. Le major aurait menacé de le mettre en prison et Hyacinthe serait allé joindre les rangs d'une armée de gueux avant de finir sur l'échafaud une fois pour de bon.

Lui, Tim, ne tomberait pas dans le piège de la révolte. La vie de chaque homme est un combat. Chacun sait ce qu'il doit dépenser pour faire les gestes de chaque jour. La vraie grandeur n'est pas ailleurs que dans l'accomplissement du but qu'on s'est fixé.

Tim ressassa son idéal. Sortir du rang à n'importe quel prix. Ne jamais plier l'échine. C'était pourtant arrivé à deux reprises récemment, quand il s'était laissé humilier par le marchand des Trois-Rivières et quand il avait signé son désengagement de la société du moulin Despins. Deux faiblesses à réparer.

L'ambition aussi d'être quelqu'un à qui on porte respect à cause de ses réussites. Plus lourd d'échecs que de triomphes. Il faudrait faire vite, surtout qu'Hyacinthe Bellerose était revenu.

Tim avait le pas pesant. Le souffle épais. La trace dans la neige qui menait à son campement n'en finissait pas de contourner les arbres. En janvier, la nuit tombe au milieu de l'après-midi. Le soir s'était établi dans la vallée.

Tim poussa la porte du camp. Une épaisse buée l'assaillit. Tous les regards se tournèrent vers lui, puis les hommes se mirent chacun à se chercher des gestes. Tim secoua ses bottes lourdes de neige. Détacha son manteau. Silence.

— Qu'est-ce que vous avez? demanda-t-il brusquement.

Un moment d'hésitation puis le vieux Blaise vint vers lui.

— Les autres, commença-t-il, ceux de Véronneau, ils sont partis. Nous autres, on est sortis les premiers ce matin. Ils devaient nous rejoindre. On les a pas vus de la journée. En rentrant tout à l'heure, le camp était vide. Pas de feu non plus. On a fait le tour: il manque des provisions.

Tim examina longuement les lieux puis il saisit le vieux Blaise par le col de sa chemise.

— Vas-y! Dis-le!

— Jérémie aussi.

Que fallait-il attendre d'autre de la part de ces gens? Rien derrière, rien devant, ils avaient choisi la seule voie qui s'offrait à eux, la fuite. Mais Jérémie?

Tim ne dit rien de toute la soirée. Il se tint à l'écart et personne ne l'approcha. Au matin, il annonça ce que tout le monde prévoyait: on allait se mettre à la poursuite de Jérémie.

Entre-temps, à Nicolet, Émilie s'occupait du mieux qu'elle pouvait de son père qui ne mangeait presque plus, ne se lavait plus et ne quittait plus son fauteuil, pas même pour dormir. Tim était parti aux chantiers de la rivière du Nord et il n'en reviendrait qu'au printemps, quand le fleuve serait débarrassé de ses glaces. Émilie, comme chaque hiver, était victime des crises de mélancolie que lui imposait la blancheur du paysage. Elle patientait de toute sa force de petite femme têtue. Les animaux ne la voyaient pas entrer à l'étable sans appréhension. Elle passait sa rage sur eux à coups de pieds et de claques sur les croupes.

Un homme frappa à la porte. Un grand manteau de chat sauvage et un bonnet à l'avenant. Il fallait savoir où on allait pour atteindre l'île Lozeau en cette saison. Il ne pouvait s'agir d'un voyageur égaré. Émilie n'avait jamais vu celui-là. Il se présenta dans un français laborieux comme un chargé d'affaires de la Banque de l'Union occidentale anglo-canadienne. Il désirait s'entretenir avec madame Bellerose. Émilie lui servit du thé et s'assit devant lui, les mains jointes sur la table de la cuisine. L'Anglais alluma un cigare avant de parler.

Il n'ignorait pas que monsieur Bellerose était parti dans une campagne d'hiver aux chantiers du Nord. C'était à lui, sans doute, qu'il aurait dû adresser les questions dont la banque l'avait chargé, mais, en son absence, sa femme pourrait peut-être éclairer sa lanterne. Il fallait d'abord dire que monsieur Bellerose avait contracté, en octobre, un emprunt de mille cinq cents dollars à la banque qu'il représentait. Cela n'avait rien de répréhensible en soi, c'était plutôt la marque d'un esprit entreprenant, d'autant plus que l'emprunteur avait hypothéqué en garantie une terre qu'il possédait à l'île Lozeau et qui se trouvait vraisemblablement être celle-là même où était bâtie la maison où se tenait leur entretien.

Émilie faisait la statue. Le grand Anglais tirait sur son cigare. Il poussa plus avant. Les services du contentieux de la banque, où les titres de propriété de la terre de l'île Lozeau avaient été examinés, avaient cru déceler certaines anomalies, des ratures, à proprement parler une superposition de textes qui avaient laissé les avoués perplexes. Sa banque l'avait chargé de tirer l'affaire au clair.

Émilie flaira le piège. Elle garda les mains bien jointes sur la table mais elle voûta légèrement les épaules comme il sied à une épouse docile. L'Anglais poursuivit. Ne serait-il pas possible à madame Bellerose de lui permettre d'examiner un second exemplaire de ces titres de propriété, à défaut de quoi le nom du notaire chez qui l'acte avait été rédigé serait d'une grande utilité.

Émilie se montra le modèle parfait de l'épouse soumise qui n'a d'autre ambition dans la vie que de tenir son intérieur. Elle n'entendait rien à ces choses et ne pouvait même pas savoir s'il y avait seulement un document attestant de la propriété de la terre et de la maison où elle avait vécu jusqu'ici une vie heureuse en compagnie de son mari. L'autre remit son manteau et s'excusa d'avoir importuné une si innocente personne avec des questions qui ne la concernaient pas. Il ajouta cependant, avant de franchir la porte, qu'il connaissait d'autres moyens d'éclaircir l'affaire, par où il aurait d'ailleurs dû commencer.

Dès qu'Émilie se fut assurée que le visiteur était assez loin sur la glace de la rivière, elle courut à sa chambre et faillit arracher le couvercle du coffret aux papiers en l'ouvrant. Les titres de propriété de sa terre de l'île Lozeau n'y étaient évidemment plus. Le temps de trois petits tours en rond dans la cuisine et elle avait trouvé sur qui passer sa mauvaise humeur. Elle attela dans un silence rageur un gros cheval mou à un traîneau à hautes lisses recourbées et elle fila sur le fleuve gelé en direction des Trois-Rivières.

— Qu'est-ce que vous avez encore manigancé?

Benjamin Levy ne comprenait évidemment pas de quoi il s'agissait. Il leva des yeux tristes sur Émilie.

— Votre mari, je suppose? Qu'est-ce qu'il a fait cette fois?

— C'est vous qui devriez me le dire!

Le marchand invita madame Bellerose à s'asseoir et à s'expliquer. Il fut rapidement mis au fait de la visite du chargé d'affaires de la banque.

— Vous ne me ferez pas croire, insista Émilie, que vous n'étiez pas dans le coup. Tim ne fait rien sans votre bénédiction.

— Je crois bien qu'il aura enfin su s'en passer, déclara Levy en se levant et en se mettant à marcher de long en large dans sa boutique comme quand il avait besoin de réfléchir.

— Le chargé d'affaires vous a-t-il spécifiquement dit que le document avait été falsifié pour que la terre apparaisse au nom de votre mari?

— Non, mais c'est évident comme le nez au milieu de la figure.

— Si vos suppositions sont exactes, votre mari est dans de beaux draps. C'est une affaire grave qui peut le mener loin. Le mal est fait et je ne vois pas ce que nous pourrions y changer.

Émilie fulminait.

— Quand je pense qu'il m'a joué dans le dos, à moi sa femme. Croyez-vous qu'il ira en prison?

— C'est une offense grave, il ne faut pas exclure la condamnation.

— Tant mieux, renchérit Émilie, tant qu'on ne le pendra pas, je ne serai pas fâchée qu'il reçoive enfin la leçon qu'il mérite. Comprenez-moi bien...

Elle se leva pour faire face au petit marchand.

—... je ne suis pas en train de dire qu'il a tort d'être ambitieux. C'est plutôt une qualité que j'apprécie et j'ai sué plus que ma part pour lui permettre d'aller au bout de son idée, mais qu'il se moque de moi, la seule personne en qui il devrait avoir une confiance absolue, ça, je ne l'accepte pas.

Le marchand prit les mains d'Émilie dans les siennes. Elle fut étonnée de les trouver chaudes et vivantes.

— N'allons pas trop vite, madame Bellerose, la colère est bien mauvaise conseillère. Ne tombez pas dans le travers que vous reprochez à votre mari. Il est autant de votre intérêt que du sien de le tirer de là.

— Alors que faut-il faire? demanda-t-elle abruptement.

— Je vais tâcher d'arranger les choses. J'ai des avoués, je leur demanderai leur avis. De votre côté, le mieux serait que vous fassiez comme si vous n'aviez reçu la visite de personne.

— C'est bon, répondit simplement Émilie. Pour les frais...

— Nous verrons cela en temps et lieu.

Émilie ramassait déjà ses *mitaines* et son écharpe. Il était à peine deux heures de l'après-midi et elle parlait de rentrer au plus tôt à Nicolet, avant la tombée du jour. Le marchand la raccompagna jusqu'à la porte.

— Et votre père, demanda-t-il, comment se porte-t-il?

— Comme un homme diminué par l'âge.

— Ne manquez pas de lui présenter mes respects.

Émilie ne tarda pas à constater combien elle avait dit vrai à propos de son père. Les jours qui suivirent, le vieux Létourneau se montra plus distant que d'habitude à l'endroit de sa fille. Méfiant même. Depuis quelque temps, c'était d'elle seule qu'il acceptait ses repas. Il se mit à refuser de manger.

De jour en jour, elle le trouvait dans un plus grand état d'excitation. Il disait avoir reçu la visite de personnes qui lui avaient fait des révélations à propos de l'incendie de son moulin. Il faisait état d'une vaste conspiration contre lui dont il soutenait détenir la preuve dans des documents qu'il avait précieusement déposés dans son coffre. Puis il refusa de voir sa fille. Pendant quelques jours, Émilie lui envoya sa jeune servante. Enfin, un messager de Benjamin Levy lui apprit que Cyprien Létourneau tenait le marchand des Trois-Rivières et Tim Bellerose conjointement et solidairement responsables des torts irréparables qui avaient été faits à son moulin de l'Isle-à-la-Fourche et réclamait en conséquence des dédommagements de trente mille dollars. Le tribunal avait ordonné qu'une enquête approfondie soit faite sur les circonstances de l'incident, après quoi il ne faisait pas de doute que les intimés seraient appelés à comparaître à la cour.

Ils marchaient dans une neige molle qui collait à leurs raquettes. La trace des fuyards s'ouvrait devant eux. Tim n'avait rien dit depuis le départ. Un pas après l'autre et le souffle pour continuer. Ils s'étaient arrêtés au milieu du jour pour se reposer et manger, après quoi ils étaient repartis et maintenant que le bleu de quatre heures allait les surprendre, ils sentaient une odeur de fumée dans l'air. Tim fit comprendre à ses hommes qu'il serait plus prudent d'avancer en silence, le fusil chargé à la main. On ne pouvait savoir comment ces exaltés réagiraient en les apercevant.

Ils étaient descendus dans une vallée profonde. On y distinguait des clairières dont on ignorait si elles étaient naturelles ou si l'homme les avait faites. L'odeur de fumée était de plus en plus présente. Un bosquet de bouleaux et ils se trouvèrent devant une cabane de colon. Deux petits bâtiments bas autour. Du bois coupé et empilé. Tout l'appareil de la vie.

Il était assez invraisemblable qu'on ait songé à s'établir en pareil endroit. Tim n'avait jamais entendu dire qu'il y avait des colons si au nord. Il ne pouvait savoir qu'il s'y trouvait des malheureux à qui la crise avait ôté le goût de retourner dans les pays d'en bas et qui étaient montés aux chantiers pour n'en plus redescendre, s'enfonçant dans la forêt profonde où ils vivaient d'un peu de chasse, d'un peu de culture et de beaucoup de misère.

La petite troupe s'avança dans la clairière devant la cabane. Un coup de feu creva le silence. Les hommes se jetèrent à plat ventre dans la neige. Ils se regardaient du coin de l'oeil pour partager leur désarroi. Qu'est-ce que c'était que ces gens-là? Ils ne tiraient plus cependant. Fallait-il se relever? Tim se dressa. Un autre coup de feu. Tim s'aplatit et tira à son tour. Ses hommes l'imitèrent. Les vitres de la seule fenêtre de la cabane crevèrent. Alors Tim ordonna à sa petite troupe de faire feu à intervalles réguliers et il se mit à ramper sur la neige en direction d'un des petits bâtiments derrière lequel il disparut bientôt. Quelques minutes plus tard, la porte de la cabane s'ouvrit et Tim poussa dehors un grand loup maigre qui tenait toujours son fusil à la main.

Les autres hésitèrent puis approchèrent. Ils entouraient maintenant le colon qui les avait accueillis à coups de fusil. Le pauvre n'exprimait plus qu'une immense frayeur. La porte était restée ouverte et on voyait dans la cabane une femme entourée de tous ses enfants. Rien de bien menaçant. Pourquoi l'homme avait-il tiré? Il expliqua que la veille il avait été pillé par cinq ou six hommes à qui il avait donné l'hospitalité. Deux attaques en deux jours, c'était plus qu'il n'en pouvait supporter.

Tim le poussa à l'intérieur et les autres le suivirent. Les explications ne furent pas bien longues. Le colon se lamentait de la perte d'un petit baril de lard sur lequel il comptait pour passer l'hiver. Tim promit qu'il le lui rapporterait. Le colon en profita pour signaler la disparition d'un traîneau dont il avait également grand besoin pour transporter son bois. Le traîneau aussi lui serait rendu.

Alors le colon déposa son fusil sur la table. Il n'avait pas perdu toute sa méfiance, mais il n'était pas assez bête pour croire qu'il pourrait tenir tête à une douzaine d'hommes qui emplissaient toute sa cabane. Les enfants et leur mère s'étaient réfugiés dans le lit. Il était superflu d'annoncer que Tim et sa bande avaient l'intention de passer la nuit chez le colon. On s'installa du mieux qu'on put. Du pain, du lard froid et de la fumée de pipe. Une nuit interminable.

Tim repartit avec ses hommes à la première lueur du jour. Il n'était pas midi lorsqu'ils aperçurent ceux qu'ils cherchaient dans la pente d'une colline. Sept renards frileux sur la neige. Tim et ses hommes avancèrent, le fusil pointé. Les autres ne firent pas un geste pour résister.

Jérémie était aux côtés du dénommé Marcel. Son père marcha sur lui.

— Où crois-tu donc que tu t'en vas?

Jérémie regarda son père droit dans les yeux.

— Faire mon devoir.

Tim haussa les épaules.

— C'est derrière votre propre misère que vous courez! dit-il.

Jérémie répliqua:

— Ainsi donc, selon vous, il faut laisser la troupe massacrer les Métis sans rien tenter pour les empêcher?

— Tais-toi donc! Je ne sais pas ce qui me retient de te laisser partir avec ces fous-là! Tu veux finir comme quelqu'un que je ne nommerai pas et qui se croyait le Messie?

— Tout le monde n'est pas de votre avis sur celui-là!

Tim détourna la tête puis se ravisa pour interpeller Véronneau.

— Et toi, penses-tu que c'est en volant du lard à ceux qui n'ont rien que tu vas laisser ton nom à la postérité?

Véronneau faisait celui qui n'a pas bien compris.

— N'attends pas que j'aille reprendre ton butin.

Véronneau se tourna vers ses hommes, les bras ballants, l'air de dire qu'il n'y avait pas moyen de faire autrement et il alla prendre un petit baril couché sur un traîneau pour le déposer aux pieds de Tim.

— Le traîneau aussi.

Véronneau poussa le traîneau d'un coup de pied.

Le temps de ramasser leurs affaires et les héros n'étaient plus là. Le père et le fils se tenaient à distance respectueuse. Tim fit quelques pas pour prendre le baril qu'il mit sur le traîneau: quatre bouts de planches sur des lisses de fer avec une corde à l'avant pour le tirer. Tim prit cette corde et il la passa autour de la poitrine de son fils.

— Toi, dit-il, tu vas rapporter ces choses à ceux à qui tu les a prises.

Le retour se fit en silence. On n'entendait que le souffle des raquettes posées en cadence sur la neige. Dès quatre heures, le jour se vida de toute sa lumière. Il s'était mis à tomber une petite neige qui faisait semblant de ne pas en être, fine comme l'air et qui s'infiltrait sous les vêtements. Il faisait nuit noire en arrivant au camp. Les hommes étaient trop épuisés pour avoir faim. Ils se jetèrent tout habillés sur leur litière de branches de sapins. Seuls Tim et Jérémie étaient restés devant le feu que le vieux Blaise avait promptement rallumé en entrant. Depuis le moment où Jérémie s'était excusé en rendant le lard et le traîneau dérobés au colon, il n'avait plus quitté son père des yeux.

— Je ne vous comprends pas, dit-il, le colon, vous m'avez forcé à lui rendre ses effets, mais Riel, vous l'abandonnez à son sort. Un traîneau, le colon pouvait toujours s'en faire un autre, mais un pays...

Le père s'approcha du fils. Les hommes se dressèrent sur les coudes pour voir ce qui allait se passer. Tim mit son bras autour de l'épaule de Jérémie et il le pressa longuement contre lui; après quoi ils allèrent s'allonger côte à côte sur les branches de sapins.

Le lendemain, Tim descendit au village des McManus. Les charrois de bois avaient sali la neige autour des établissements. L'air était coupant de froid. Une fumée légère montait de chaque camp. Tim avait le pas leste. Il mâchonnait un bout de chanson entre ses dents. Presque heureux. Il allait certes devoir verser une autre centaine de dollars de redevances pour les arbres abattus depuis le début de l'année, mais il ne doutait pas qu'il récupérerait ces déboursés en vendant son bois au printemps.

Tim alla trouver Wedgewood, qui ne put dissimuler un malaise en le voyant entrer.

— Je suis bien content de vous voir, monsieur Bellerose.

— Toi, tu amasses les profits des autres comme si c'étaient les tiens.

— Ce n'est pas de ça qu'il s'agit.

— Aurais-tu décidé de me faire un cadeau?

— Je ne sais pas, mais il y a un homme qui est venu ici, voici deux jours et qui doit revenir d'ici peu, qui, lui, n'a pas l'air de vouloir vous en faire...

— Qui?

— Un huissier. J'ai bien été obligé de lui indiquer où vous étiez. Il est monté à votre camp, mais il est revenu bredouille. Il n'y avait personne, m'a-t-il dit. Je lui ai demandé si je pouvais vous faire quelque commission. Il m'a répondu qu'il avait un papier à vous remettre en mains propres. Je ne serais pas étonné qu'il soit déjà de retour, quelque part au village. Vous pouvez compter sur sa visite demain ou après-demain.

Tim resta de glace. Il paya et sortit. Il traversa le village en dévisageant tous ceux qu'il rencontra. Personne à face de huissier. Il entra au réfectoire. C'était une vaste pièce qui tenait plus de la taverne que de la salle à manger. Il s'installa sur un banc à trois pattes pour regarder cinq ou six gaillards barbus jouer aux dés. Pourquoi ces gens-là n'étaient-ils pas en train d'abattre des arbres dans la forêt? Ils pariaient et renchérissaient sur les paris des autres, à la bonne fortune des dés. Tim savait fort bien qu'à ce jeu, on risquait de perdre plus que de gagner. Il misa pourtant sans se demander si c'était raisonnable. La compagnie de la table le laissa d'abord jouer quelques coups. C'était la bonne façon de savoir à qui on avait affaire. Il perdit ses premiers sous. Cela lui attira la sympathie des joueurs.

— Toi aussi, tu as dételé?

Tim formula une réponse vague pour se laisser le temps de voir qui étaient ces gens.

— Il y a toujours de la place, tu sais, dans l'armée des gueux...

Tim faisait celui qui a sa petite idée mais qui ne veut pas trop en dire. Les dés roulaient sur la table de pin brut.

— Un et trois. Pas de chance mon vieux. Ne t'en fais pas, il en faut des perdants si on veut qu'il y ait des gagnants.

Celui qui lui avait adressé la parole était un gros homme au souffle court. À l'évidence, bourré d'alcool. Un long diable pointu répondit au premier:

— C'est pas comme ça qu'il faut dire. Plutôt: c'est toujours les mêmes qui perdent et qui gagnent.

— Dans ce cas, à quoi ça sert de jouer? intervint un troisième, dont les loques rapiécées trahissaient aussi l'appartenance au camp des perdants.

Ils furent deux à répondre en même temps:

— À faire gagner les gagnants!

Tim grogna:

— Moi, quand je joue, c'est pour gagner...

— Tu es justement en train de perdre!

—... ou pour reprendre ce que j'ai perdu.

— Tu sais qu'à ce jeu-là, on peut perdre et gagner longtemps.

— C'est la vie, conclut Tim.

Le long diable tapa sur la table en se tournant vers lui.

— Tiens, un philosophe! Tu tombes bien, on n'en avait pas. Alors, tu viens avec nous?

Il examinait Tim avec incrédulité. Il se tourna vers ses compagnons pour leur faire part de son étonnement. Tim commençait à bouillir.

— As-tu fini de te moquer de moi?

— Tu t'en charges très bien toi-même, compagnon.

Tim se leva. Les autres regardaient monter sa colère avec un sourire en coin.

— Voici un monsieur, commenta celui qui avait une face de diable, qui est un gueux sans le savoir et pourtant, il n'aime pas qu'on se moque de lui.

S'adressant à Tim:

— Mais ne reste pas debout. Ce n'est pas comme ça que tu grandiras. Et puis quel âge as-tu pour être encore si ignorant?

— L'âge qu'il faut pour corriger les insolents de ton espèce, répliqua Tim en saisissant l'autre à deux mains par sa chemise et en l'arrachant à sa chaise.

Tous ceux de la tablée se levèrent en même temps. Leur intervention sauva le grand diable d'un mauvais parti. Le temps de commander à boire et ils entourèrent Tim, les coudes sur la table, pour lui révéler ce que cachaient leurs sous-entendus.

Il y avait d'abord la crise que les riches provoquaient périodiquement pour rappeler aux pauvres qu'il était futile de caresser des rêves d'opulence, ne fût-ce que sur l'oreiller. Celle qu'on traversait durait depuis quelques années. À croire que ses instigateurs avaient oublié d'y mettre fin...

Il y avait ensuite la punition qu'on avait infligée au Bas-Canada pour s'être soulevé en 1837 et en 1838. L'union des deux Canadas, le Haut et le Bas, n'était qu'une mesure de représailles par laquelle on entendait faire payer aux Français du Bas-Canada l'énorme dette publique des Anglais du Haut-Canada. La confédération de 1867 avait consolidé cette vengeance.

Il y avait enfin l'affaire des Métis. Ils avaient été vaincus dix ans plus tôt au Manitoba. Leur défaite avait été causée par l'indifférence ou l'impuissance de leurs compatriotes de langue française. Un nouveau soulèvement venait d'éclater à Batoche.L'affrontement était prévisible pour les premiers jours du printemps. Cette fois, tous les Canadiens français qui auraient du coeur au ventre devraient aller se battre aux côtés de leurs frères les Métis.

Eux-mêmes, conclut le grand diable, jugeaient inutile de poursuivre une campagne d'hiver dans les chantiers de la McManus. Ils partiraient pour les plaines de l'Ouest dès que le temps leur permettrait. Pas question de faire flotter le bois des autres le printemps venu, du bois dont personne ne voudrait à Québec de toute façon. Le philosophe était le bienvenu dans l'armée des gueux. Ses hommes avec lui.

Tim songea que si la crise n'avait pas été si dure, ces gens auraient été les premiers à ignorer le sort des Métis pour ne pas perdre les profits de leur hiver. Il sortit sous les quolibets des joueurs de dés. Le village était tranquille. Le huissier impressionnait Tim bien davantage que toutes ces théories. Il avait largement eu le temps d'apprendre ce qu'il en coûtait de fréquenter ces gens-là.

Il remonta à son camp. Un trou de bête sous la neige. Ses hommes ruminaient de lourdes mélancolies. Février, le mois le plus long, le plus court sur le calendrier. Tim rassembla son monde autour du feu. Le lendemain matin, on chargerait des provisions pour une semaine sur le traîneau à bois, on attellerait un cheval et on irait bûcher à l'extrémité du territoire concédé par la McManus. On emporterait la tente qui servait d'abri au foin des bêtes pour se loger pendant cette campagne. Chacun prendrait ses affaires. Le camp devait rester désert.

Les hommes murmuraient. Ils voulaient connaître les raisons d'un pareil dérangement. Tim ne leur en fournit aucune. Pas même à Jérémie.

Le lendemain matin, ils se mirent néanmoins en marche. Ils savaient qu'ils allaient au rendez-vous d'une vie encore plus rude que celle du camp. Au début, ils avancèrent sur la piste qu'ils avaient défrichée dans la forêt. Seul le nain, préoccupé de faire suivre sa pierre à aiguiser, avait du mal à suivre la troupe. C'était relativement facile. Sitôt le camp disparu, Tim annonça une halte et fit abattre un arbre en travers du chemin.

Quand ils atteignirent le bout de la piste, ils avaient couché six arbres derrière eux. On continua de monter à travers bois. Le bleu de la fin du jour se mit à couler entre les arbres. Ils battirent une aire de neige avec leurs raquettes pour y dresser la tente. Ils avaient emporté un petit poêle de tôle. Ils l'installèrent et se mirent en frais de le bourrer du bois mort.

On bûcha le lendemain et les jours suivants. Tim tendait l'oreille vers en bas. On ne voyait que les arbres dans la pente. Le camp était beaucoup plus loin, le village de la McManus à si grande distance qu'on pouvait refuser d'y croire. Une forêt du commencement du monde et les gestes les plus simples de la vie.

Les hommes jetaient leur cognée contre le tronc des arbres en se demandant comment on pourrait transporter le bois abattu. C'était d'autant plus regrettable qu'ils avaient enfin trouvé de superbes chênes à mettre sous le tranchant de leur hache. Et le soir, sur les litières de branches fraîches, les questions refusaient de se taire. Ce fut Shoon, un des Irlandais que Tim avait recrutés à Montréal, qui parla le premier le lendemain.

— C'est pas pour vous contredire, patron, mais ici, personne ne comprend ce qu'on est venus faire. Ça nous ronge, patron, c'est plus éreintant que d'abattre toute une forêt. Tout ce qu'on demande c'est quelques mots d'explications...

Tim regardait Shoon en frappant ses *mitaines* l'une sur l'autre pour se réchauffer les doigts. Les paroles de l'Irlandais lui sortaient de la bouche en jets de buée dans l'air vif. Tim allait se détourner. L'autre fit un pas.

— Pas de ça, patron. Vous avez tous les droits, sauf celui de vous moquer de nous. On veut savoir ce qu'on est venus faire ici.

Tim soupira un souffle de vapeur.

— Tu diras à ceux que cela peut intéresser que nous sommes montés ici parce qu'il y a quelqu'un que je ne veux pas voir, en bas. Quand il sera parti, nous redescendrons.

— Qui vous préviendra?

— Personne d'autre que moi et c'est bien suffisant.

Tim s'éloigna. L'Irlandais s'efforçait de départager la réponse de Tim d'avec son interrogation qui persistait. Il alla retrouver ceux de son groupe qui ébranchaient un chêne de forte taille.

Toute une semaine. De gros geais bleus s'intéressaient à l'activité des hommes. Jérémie avait repris ses fonctions de cuisinier sous l'oeil intéressé de Bosse qui trouvait toujours le prétexte de quelques couteaux à aiguiser pour venir se chauffer. Jérémie jetait des miettes que les oiseaux se disputaient sur la neige devant la tente. Tim les dispersa sans les voir en marchant vers l'abri.

— Qu'est-ce que j'apprends, que toi aussi tu murmures contre moi?

— Je ne murmure pas, répondit Jérémie, je dis ce que j'ai à dire et c'est tout.

— Et qu'as-tu donc tant découvert?

— L'évidence. Que vous nous avez entraînés ici pour ne pas entendre ceux d'en bas parler de ce qui se prépare dans l'Ouest...

Tim sourit.

— Tu as parfaitement raison, mais ne le répète à personne.

Et il s'en retourna dans son sourire énigmatique. Deux jours plus tard, il donnait le signal du départ. Les hommes chargèrent la tente, le foin, le poêle et leurs questions. Il était convenu qu'on reviendrait plus tard chercher le bois qu'on avait coupé pendant cette expédition.

En vue du camp, Tim fit faire halte. Il expliqua au vieux Blaise qu'il entendait aller vérifier quelque chose avant que les autres descendent. Il le chargeait de s'assurer que personne ne le suivrait. La fumée du poêle dans la cheminée serait le signal de se remettre en marche. Et Tim s'en alla en emportant son mystère.

Il trouva ce qu'il cherchait, une enveloppe épinglée à la porte du camp. Il jeta ses *mitaines* sur la neige pour l'ouvrir. La cour du banc du roi des Trois-Rivières l'enjoignait de comparaître à sa prochaine session d'automne pour répondre, conjointement et solidairement avec Benjamin Levy, de l'incendie du moulin du sieur Cyprien Létourneau.

Tim entra dans le camp. Il bourra le poêle de bon bois sec qu'il enflamma à l'aide de la sommation qu'il venait de recevoir. La fumée monta dans la cheminée. C'était le signal convenu. Ses hommes ne tardèrent pas à le rejoindre.

— Vous pouvez dormir tranquilles, leur dit-il, personne ne viendra plus nous déranger.

L'équipe de Tim bûcha tout l'hiver. Un arbre après l'autre, à s'en faire péter le coeur. Le patron descendait au village. Un jour, il revint tout excité, en disant que la McManus ne pourrait couper son bois avant mai, peut-être juin. Il avait donc décidé de faire creuser à ses hommes une fosse à scier pour équarrir lui-même les billes.

Ce ne fut pas une petite affaire. On était en mars, le sol gelé dur comme du marbre à tombeaux. Les hommes le cassèrent à coups de pic, aussi profond que la hauteur d'un homme, même dimension en largeur et deux fois plus long. Six jours à deux hommes. C'était au bord de la rivière, à l'emplacement où ils avaient dressé la tente en arrivant au village. Pendant que Shoon et un autre Irlandais creusaient, le patron avait organisé le charroi. Deux billes qui avaient été choisies en fonction de leur forme recourbée à l'avant, des chaînes et voilà pour le traîneau. Les chevaux attelés en paire. Le bois se mit à descendre. Avec les premières pièces, on construisit un bâti pour supporter les troncs qu'on allait entamer.

Équarrir à la main ne se faisait plus. Les scies à vapeur, verticales ou rondes, fonctionnaient depuis belle lurette. C'était pitié de voir un homme, au fond de la fosse, tenir à deux mains le manche d'une longue scie à dents qu'un autre actionnait, en haut, sur le bâti: monte, descend, tire, pousse, toute la journée, sur les quatre faces de la bille. Le temps qu'on vienne à bout d'une seule pièce, ils en avaient produit vingt au moulin. Et le soir, fourbus comme des bêtes, quand ils allaient rôder au village, les autres se moquaient proprement d'eux. Les hommes n'en étaient pas moins fiers de prouver qu'ils pouvaient se passer de tout le monde. Ils finirent d'ailleurs par ne plus descendre au village.

L'affaire Riel avait fini par mettre le patron dans tous ses états. Il ne parlait plus que de ça, sous prétexte de convaincre ses hommes de ne pas s'en mêler: «Tenez-vous à l'écart, les gars! Les histoires de Métis, ça ne vous concerne pas! Bouchez-vous les oreilles pour ne pas entendre ce qu'on dit au village. La seule musique qui doit vous intéresser, c'est celle de la scie dans le bois.» Mais en même temps il courait à gauche et à droite, comme un petit chien quand la malle arrive, un petit chien qui s'imagine que c'est lui qui fait marcher les chevaux. Les hommes empilaient le bois carré à côté de leur fosse, les billes ne finissaient plus de descendre de la forêt et pendant ce temps, le patron était toujours au village dans le sillage des forgeurs de nouvelles.

Ils avaient de nouveau dressé leur tente au bord de la rivière. Tim n'avait pas sitôt écarté la toile de la porte qu'il déclarait: «Les Métis sont barricadés dans Batoche. Riel envoie des messages à tout le monde pour dire que c'est Dieu lui-même qui le guide. Otez-vous de la tête que cet homme-là est un héros. C'est un illuminé.» Deux jours plus tard, même excitation: «Le major Crozier attend des renforts. Des trains entiers remplis de miliciens. Y en a-t-il encore parmi vous qui ont envie d'aller défendre la cause de Métis?» Au bout d'une semaine: «Crozier va donner l'assaut. Je ne serais pas fâché de voir Riel lui tenir tête un peu.»

On venait d'entrer dans le mois d'avril. Le patron avait hâte d'assembler son radeau. Les hommes n'avaient pas fini de scier leur bois. Un matin, il sortit de la tente comme s'il y avait le feu dans sa paillasse. «C'est aujourd'hui qu'on commence le radeau.» Les billes qui n'étaient pas encore équarries, il les fit placer en-dessous. Le bois blanc fraîchement coupé sur le dessus. Les hommes se disaient: ça ne trompera personne. Le radeau terminé, ils construisirent les cabanes. Les voiles, Tim les fit tailler dans la toile de la tente. Il était pressé de partir comme s'il avait eu le major Crozier à ses trousses. Le matin où il donna le signal du départ, on apprit au village que le château-fort des Métis était tombé. Une semaine plus tard, dans les glissoires de la rivière du Nord, on sut que Riel avait été capturé.

Le radeau était arrivé en vue des falaises de Québec aux premiers jours de juin. La descente avait été rude. L'équipage inexpérimenté avait pâti. Le froid, l'eau glaçée, la manoeuvre de nuit, les courants, les hauts-fonds de sable avaient eu raison de l'énergie des hommes.

C'était un matin frisquet que le brouillard patinait. Tim aurait bien aimé allumer un de ses petits cigares qui lui donnaient tant d'assurance en affaires, mais il n'en avait plus depuis longtemps. Les mains dans les poches à l'avant du radeau, il se contenta d'observer Wolfe's Cove.

Au pied des falaises sur lesquelles la ville de Québec était bâtie, un peu à l'ouest sous les promontoires de Sillery, s'étendaient les cours à bois de l'Angleterre. C'était par là que transitait le produit le plus précieux de la colonie.

Les Coves étaient des anses peu prononcées que d'importants ouvrages prolongeaient au large. Des bâtisses pour les bureaux, des hangars sans murs pour le bois le plus précieux, de hautes cheminées crachant la fumée du charbon qui actionnait les machines à vapeur et des estacades, véritables trottoirs flottants qui formaient des aires à l'intérieur desquelles le bois des cages était entreposé en attendant d'être chargé sur les bricks, les goélettes et les grands voiliers à trois mâts qu'on approchait de la côte à marée haute.

Le fleuve se resserre devant Québec. Le radeau était emporté par un fort courant. Tim avait fait abattre les voiles depuis un moment. Il n'était jamais entré à Wolfe's Cove. Il n'en connaissait que ce qu'on lui en avait dit. Il reconnut le poing de fer sur la haute cheminée.

— Les rames en l'air à babord.

Les rameurs de tribord continuaient de battre l'eau en cadence. Shoon s'arc-boutait à la barre. Le radeau vira lentement. Il frôla la première estacade. Il filait encore trop vite pour qu'on puisse s'y amarrer. Un câble passé en vitesse autour d'une bitte de fer et qu'Antoine retint en se brûlant la paume des mains permit de le ralentir assez pour accoster la dernière estacade. Pendant que l'équipage jetait des amarres, Tim sauta sur le trottoir flottant. Un gros homme venait vers lui dans les soubresauts de sa bedaine.

— Allez-vous en de là!

Tim continua de marcher.

— Je vous ai dit de vous en aller, répéta l'homme.

— Ne vous énervez pas, répondit Tim, je viens vendre mon bois.

L'homme lui barrait le passage sur l'étroite passerelle avec son gros ventre. Il était vêtu comme un engagé mais il tenait le langage d'un patron.

— Faudra-t-il que je vous le répète en anglais? Allez-vous en! Personne n'a le droit d'accoster ici sans permission.

— Comment voulez-vous que je vende mon bois sans descendre à terre?

— Je ne dis pas que vous ne pouvez pas passer, finassa le gros homme, mais il n'est pas nécessaire d'emporter le radeau avec vous pour aller discuter.

— Que voulez-vous que j'en fasse?

— Ce n'est pas mon affaire, répondit le gardien des estacades.

Puis, désignant le fleuve:

— Ce n'est pourtant pas la place qui manque...

Tim était sur le point de saisir l'autre par sa chemise pour le jeter à l'eau quand ce dernier ajouta:

— Je vous donne dix minutes pour déguerpir, après quoi, j'envoie mes hommes couper vos câbles.

Et il s'en retourna comme il avait dû le faire tant de fois, de son pas lourd, les yeux dans le dos pour prévenir l'agression que son attitude hargneuse ne devait pas manquer de provoquer à l'occasion. Tim ne bougea pas. Il avait surtout très hâte de bâcler sa transaction avec les expéditeurs de Wolfe's Cove. Son bois vendu, il serait toujours temps de dire deux mots à ce chien de berger. Il retourna au radeau donner l'ordre à son équipage de pousser au large et de jeter l'ancre au premier endroit propice avant de remonter vers les bureaux.

Une véritable atmosphère de foire régnait dans les bureaux de la société Knight & Gardner de Wolfe's Cove, une entreprise fermement menée, comme en témoignait son symbole, un poing de fer. Tim se fraya un chemin parmi les gilets lustrés et les chemises à carreaux. Des gens couraient dans toutes les directions. Des discussions s'élevaient. Des jurons en anglais et en français. Des chiffres brandis comme des menaces, des projets de contrats rageusement déchirés et jetés sur le plancher et des accords arrachés de haute lutte. Une forte odeur de tabac. Un poêle à bois au centre de la pièce, autour duquel se regroupaient ceux qui attendaient une décision. Tim s'était imaginé s'asseoir dans un bureau en compagnie d'un chargé d'affaires déférent qui lui aurait offert un cigare en guise d'entrée en matière; il dut se contenter d'aller faire la queue devant l'un des trois guichets tenus par des commis préposés aux achats.

La Knight & Gardner avait du bois en surplus dans ses estacades et deux navires qui auraient dû normalement le prendre n'étaient pas encore arrivés. C'était un moindre mal, puisque le petit port de la société était plein: six bricks et deux goélettes. On n'achèterait pas de nouveau bois avant un jour ou deux, peut-être trois.

Tim retourna à son radeau, le ventre creux comme un loup d'hiver. Il s'était fait raccompagner dans la barque d'un autre patron dépité comme lui. Le radeau de ce dernier était à côté de celui de Tim, en aval de Wolfe's Cove. Les deux cages avaient dérivé dans une petite baie, en face, où elles tiraient dangereusement chacune sur son ancre de chêne. La tradition voulait, chez les constructeurs de radeaux, que tout ce qui composait leur gréement, les voiles et les câbles exceptés, puisse se vendre. Les ancres étaient donc faites de deux énormes pièces de chêne assemblées en croix. Ce bois est si dense qu'il ne flotte pas; il fallait cinq hommes au moins pour manoeuvrer les ancres de chêne. Par gros temps, pourtant, il arrivait qu'on les trouvât bien légères pour retenir les cages.

Tim annonça à ses hommes qu'ils devraient patienter un peu, mais il se garda de leur dire qu'aucun marché n'avait été conclu. Le jour passa. On s'installa pour la nuit autour du feu de cuisine. Tim ne dormit pas; le coeur lui battait trop fort. Il se passait les mains sur les cuisses en écoutant le vent raboter le fleuve.

Les hommes s'éveillèrent avec la lumière. Le vent, conjugué à l'effet de la marée, cherchait à arracher le radeau à son mouillage. Si l'ancre de chêne se mettait à chasser, la cage serait en péril. On en retrouverait le bois épars, loin en aval, sur les battures de Beauport et sur les berges de l'île d'Orléans. Une seule position sûre se présentait: Wolfe's Cove. Dès l'aube, Tim donna le signal du départ.

En face, quelqu'un avait prévu la manoeuvre qui se préparait. Ce n'était pas la première fois que des radeaux repoussés malicieusement au large par les employés de la Knight & Gardner y revenaient en catastrophe. Une dizaine de gaillards se tenaient sur les estacades, la hache à la main, pour en interdire l'accès. Tim n'avait pas d'autre choix que d'affronter ces gens là.

Ce fut une belle bousculade. Des bras tordus, des chemises déchirées et des câbles coupés net. L'équipage du radeau n'avait pas la partie facile; il fallait en même temps se battre et empêcher la cage de dériver. L'issue de l'affrontement ne faisait pas de doute. Tim allait abandonner, lorsqu'il reconnut celui qui commandait ses adversaires: Conrad Gervais, l'homme qui lui avait arraché cent dollars en échange d'un faux permis de coupe de bois sur les concessions de la McManus. Tim se rua sur lui. Ils tombèrent à l'eau entre les pièces qui flottaient à l'intérieur des estacades. Tim était en train d'achever de noyer l'autre, quand un homme bien mis se présenta parmi les belligérants. C'était un des gros bonnets de la Knight & Gardner. Il ne permettrait pas qu'on se batte sur la propriété de la société. Était-ce pour chercher querelle à tout le monde qu'on avait assemblé cette cage ou pour mener un honnête commerce de bois? Il demanda qui la commandait. Tim était toujours à l'eau. Il avait lâché Gervais cependant pour écouter le nouvel arrivant. Il répondit que le radeau était le sien. L'homme lui tendit la main pour l'aider à remonter sur la passerelle.

— Vous comprenez, monsieur, que nous ne pouvons laisser tout un chacun accoster à nos estacades. Ce serait un beau désordre. Mais à ce que je vois, ce n'est pas non plus un matin pour jeter l'ancre au large. Trop de vent. Ne croyez-vous pas que le mieux serait que nous nous entendions sur un prix et que vous vous débarrassiez de ce tas de bois?

Se tournant vers les gaillards de Gervais:

— Retournez à terre, vous autres. Quant à vous, Saint-Cyr, allez donc changer de vêtements.

Tim sursauta. Son traître avait donc plusieurs masques.

— Venez monsieur...

— Bellerose.

—... venez donc, monsieur Bellerose.

Il entraîna Tim sur l'estacade de gauche. Les autres prirent le chemin de droite. Derrière, l'équipage du radeau de Tim amarrait enfin en toute quiétude.

Ce fut l'affaire d'une petite demi-heure. Le gros bonnet de la Knight & Gardner commença par déclarer que sa société était très réticente à acheter le bois des entrepreneurs privés. Monsieur Bellerose s'était montré imprudent en assemblant une cage sans prendre d'arrangements préalables. Le mal étant fait, il fallait composer maintenant. Il offrit la moitié de ce que valait le bois.

Tim songea un instant à couper les amarres de son radeau et à le laisser filer dans le courant. Il préféra ravaler son orgueil. Le coeur lui brûlait. Des chiffres crochus lui circulaient dans le sang.

Le mesureur qui avait été dépêché sur les estacades revint en annonçant que la moitié du bois dont le radeau était composé ne satisfaisait pas les exigences de l'entreprise. Il parlait d'un subterfuge qu'il avait découvert: des billes rondes sous le bois carré. Tim s'en prit à lui: fallait-il être niais pour avoir cru que ce bois rond était destiné à la vente quant il n'avait servi qu'à supporter le beau bois carré pendant la descente! Tim se tourna vers son acheteur: aurait-on préféré que les pièces fraîchement coupées cotissent dans l'eau? L'homme prit un air entendu pour reconnaître que monsieur Bellerose s'était montré avisé. Le mesurage du bois que la Knight & Gardner se proposait d'acheter ne produisit pas le compte que Tim avait entrevu quand il avait estimé les coûts et les profits de l'opération. Il signa néanmoins le contrat imprimé que l'homme lui tendit après avoir inscrit des chiffres dans les espaces prévus à cette fin. Ne restait plus à monsieur Bellerose qu'à continuer de se sécher devant le poêle en attendant l'arrivée du commis préposé à la caisse, lequel ne prenait son service qu'à huit heures.

L'homme se leva pour tendre la main à Tim.

— Un conseil, monsieur Bellerose, ne courez plus de risques semblables. Les temps sont trop durs pour qu'on se permette de pareilles aventures. Somme toute, vous ne vous en tirez pas trop mal, quand on pense que pas plus tard que la semaine dernière, j'ai refusé d'acheter du bois à des gens qui sont repartis avec, Dieu sait où. Voyez-vous, ce n'est pas de bois dont nous avons besoin, mais de navigateurs expérimentés pour aller chercher celui qui nous appartient déjà. Nous en sommes réduits à engager les premiers venus pour le faire. Ces hommes dont vous avez fait la connaissance tout à l'heure sur les estacades vont justement partir pour la rivière du Nord...

Gervais! Tim sentit une coulée de plomb lui emplir les membres.

— Je suis votre homme.

Le temps d'une autre signature et Tim et son équipe se virent engagés pour une expédition. Trente piastres par mois par homme, à compter du jour où ils entreprendraient d'assembler leur cage.

Tim retourna à son radeau. Ses hommes le regardaient venir avec soulagement. Ils déchantèrent vite quand il leur annonça qu'il n'avait pas reçu le plein montant auquel il s'attendait. Il était cependant parvenu à un arrangement intéressant avec les autorités de la Knight & Gardner: les hommes maugréèrent quand Tim leur proposa d'aller assembler une autre cage, sans qu'ils aient à couper le bois, mais les gages étaient intéressants; ils finirent par accepter. Que pouvaient-ils faire d'autre? Chacun ramassa ses petites affaires et sauta à terre. Il était convenu qu'on s'accordait un mois de répit avant de retourner dans les pays d'en-haut. Rendez-vous était pris pour les premiers jours de juillet à l'île Lozeau.

Tim ne suivit pas ses hommes dans les tavernes enfumées de Québec. Il passa une grande partie de la journée à chercher Gervais sur les terrains de la Knight & Gardner. Pas plus de trace de Gervais que de Saint-Cyr. Il se dit qu'il finirait bien par le retrouver sur la rivière du Nord. Il retarda pourtant son départ pour assister au démantèlement de son radeau. Il tenait à s'assurer que le bois rond pour lequel il n'avait pas été payé n'entrerait pas dans les estacades de la Knight & Gardner. Il fut satisfait en voyant les manoeuvres repousser les billes au large. Alors seulement, prit-il le chemin du retour.

Émilie était dans son potager. La mi-juin tient habituellement ses promesses. Toute une variété de radis, de poireaux, de carottes et de légumes divers pointaient déjà. Un vent chaud fouillait la terre pour lui arracher ses odeurs.

Émilie se redressa, appuyée sur sa bêche. De courts cheveux rebelles sortaient de son fichu et lui caressaient les joues. Elle souffla. L'île Lozeau ondulait comme une jeune fille. La vie imposait partout sa tyrannie.

Émilie songea que Tim avait perdu depuis longtemps le goût de regarder les choses, emporté par une détermination aveugle qui lui faisait piétiner les plus beaux jardins sous prétexte qu'il devait parvenir à destination.

Elle ne savait plus très bien si le sentiment qu'elle éprouvait à son endroit pouvait encore porter le nom d'amour. Une chaleur, en tout cas, au creux le plus intime, quand elle pensait à lui. Elle n'osait l'admettre mais elle avait parfois tendance à le prendre en pitié.

Elle leva la tête. Tim montait la côte, son sac à l'épaule. Elle se raidit. Une statue de sel.

— Ça fait plaisir de te revoir, dit-il.

Jérémie venait derrière lui dans toute l'insouciance de ses dix-huit ans. Plus Bellerose que son père, si c'était possible. Émilie ne répondit pas.

— C'est bon de rentrer à la maison, poursuivit Tim, après l'hiver qu'on a passé.

Il posa son sac à ses pieds, écrasant une rangée de fines pousses de laitue.

Jérémie était resté hors du potager. Émilie prit le sac de Tim et le lui remit dans les mains.

— Ne te fais pas d'illusions, dit-elle, tu n'es pas encore arrivé.

Tim ne comprenait pas.

— Tu t'es trompé de port, continua Émilie, ta cargaison n'est pas pour moi. Ici, c'est déjà l'été, et toi, tu arrives avec ton vent mauvais. Va vider ton sac et laver tes affaires, tu reviendras quand tout sera propre. D'ici là, tu n'as rien à faire ici.

Tim resta là, son sac à la main et les yeux tristes. Sans colère. Un enfant grondé.

— Qu'est-ce que tu as? demanda-t-il.

— J'ai que je ne veux pas te voir avant que tu aies apaisé toutes les tempêtes que tu as semées. Je n'ai pas du tout le goût qu'elles m'éclatent sur la tête.

— De quoi parles-tu?

Émilie ne put retenir un sourire mélancolique.

— Mon pauvre Tim. Quand donc cesseras-tu de te jouer la comédie? Regarde-toi bien en face.

Elle désigna Jérémie d'un geste de la tête.

— Tu as celui-là pour te servir de miroir.

Elle rentra ses cheveux sous son fichu.

— Tu as laissé tes traces partout. Mon père, le marchand juif et maintenant c'est un juge qui va te condamner bientôt aux Trois-Rivières. Et je ne parle pas de moi...

Tim ne savait plus ce qu'il devait faire, éclater de colère ou se mettre à pleurer. Il était lourd de doutes, incapable de se décider. Émilie le prit par les épaules et lui fit faire demi-tour.

— Commence donc par aller voir ta mère, tiens.

— Elle est malade?

— Va la voir. Elle a quelque chose d'important à te dire.

Tim fit quelques pas. Il se tourna vers Émilie.

— Et toi?

— Je me débrouille toute seule. C'est très bien ainsi. De cette façon, quand tu reviendras, nous pourrons nous regarder en face.

Tim descendit la côte. Jérémie resta là, ne sachant trop quelle attitude adopter.

— Emmène Jérémie avec toi.

Le fils suivit le père sans plus attendre.

Ils trouvèrent la vieille Marie dans le silence de sa cuisine. L'horloge arrêtée.

Tim savait déjà ce que sa mère allait lui annoncer. Il ne broncha pas quand elle lui apprit la mort d'Hyacinthe.

Depuis son retour, Hyacinthe n'avait guère parlé, se contentant de regarder les saisons se faire et se défaire à la fenêtre. Il n'était pas malheureux, Marie en avait obtenu l'assurance au fil des jours. Tout juste un peu triste.

Regrettait-il quelque chose de sa vie? Il disait que si c'était à refaire, il remettrait ses pas dans les mêmes traces. Alors comment interpréter son silence?

Marie avait compris que l'exil qu'on lui avait imposé avait déteint sur toute sa vie. Les années qu'il avait vécu en Californie lui avaient certes permis de sortir de sa prostration mais il avait finalement compris pourquoi, inconsciemment, il avait tant tardé à revenir à Nicolet: il se serait retrouvé à son point de départ, alors qu'il avait eu tant de chemin à parcourir.

Un jour de tempête d'hiver, alors que Marie somnolait sur sa chaise, elle s'était éveillée en sursaut pour constater qu'Hyacinthe n'était plus là. Après l'avoir cherché dans la maison, elle suivit sa trace dehors. Le vent soufflait une neige épaisse. Hyacinthe avait chaussé ses raquettes, on en voyait encore les empreintes sur la neige. Ses pas s'enfonçaient dans l'érablière puis sur le fleuve gelé.

Elle le trouva au milieu du désert de glace, à genoux dans la lumière pâle. À quatre pattes plus précisément. Ses mains touchaient le sol. Les yeux clos, la tête tombée, le bonnet renversé sur la neige, les cheveux et la barbe plus blancs que le jour. Aussi muet que l'horizon. Mort. Il n'était pas facile de dire depuis combien de temps. Une fois le sang ralenti, le froid avait mordu. Le corps ressemblait à une souche.

Marie en avait fait plusieurs fois le tour, le bas de sa robe laissant une trace sur la neige. Elle s'était approchée pour toucher du doigt les cheveux de givre; il avait basculé dans un fracas de silence. Sur le dos, il était comme une bête qui se défend.

Marie était retournée à la maison prendre le petit traîneau qui servait à transporter le bois. Elle était revenue sur le fleuve gelé puis elle avait refait le chemin de retour, passant devant la maison des Bellerose. Elle avait marché jusqu'à Nicolet. Deux heures. Contournant l'église avec son effrayant fardeau, elle ne s'était arrêtée que devant le vieux collège des frères qu'on avait transformé en logements et où se trouvait le bureau de poste.

La vieille Marie marcha lentement jusqu'à l'armoire d'où elle tira le petit cahier noir qu'elle avait trouvé sur la table de la cuisine à son retour, le jour de la mort d'Hyacinthe. Elle l'ouvrit à la dernière page et en lit quelques lignes à l'intention de Tim.

* *
*

«Me voici au terme de ma course. Je crois avoir épuisé tous les sentiments qu'il puisse être donné à un homme d'éprouver et je me permets d'affirmer en toute humilité que le Créateur m'avait réservé une pleine mesure d'émotions.

Je demande pardon à Dieu des fautes de ma vie. Je le prie d'accueillir favorablement celui qui marche vers lui en toute innocence. En ce qui concerne les vivants, je n'ai rien d'autre à leur léguer que la mémoire d'un homme qui n'a jamais délibérément failli à sa conscience.»

* *
*

La vieille Marie ferma le cahier.

— Il n'a rien dit, rien laissé pour moi? demanda Tim.

Marie secoua la tête.

— Un peu d'argent. Il est à toi si tu veux.

— Tu en as plus besoin que moi.

Marie retourna ranger le cahier dans l'armoire. Elle en revint avec une corne de brume de cuivre poli.

— Il a laissé cet instrument. C'est utile à la navigation, je crois. Prends-le.

Tim retourna plusieurs fois la corne de brume entre ses doigts.

— Si tu n'y vois pas d'objection, dit-il, j'ai l'intention de passer quelques jours ici avec Jérémie.

Le silence de la maison des Bellerose permit à Tim de mettre un peu d'ordre dans le fatras de ses préoccupations. Il remit l'horloge en marche et il alla trouver le marchand des Trois-Rivières. Celui-ci aurait sans doute plusieurs reproches à lui faire mais il saurait en même temps lui indiquer de quel côté venait le vent.

Benjamin Levy se montra effectivement très sévère à l'endroit de son visiteur. Il n'admettait pas la tricherie, disait-il. La ruse sans doute, la duperie quand il le fallait, mais pas le mensonge. Tout l'art de faire des affaires tenait dans la façon de ne jamais se mettre en situation de mentir.

Cependant, le marchand parla avec prudence pour ne pas révéler la partie secrète des arrangements auxquels ils étaient parvenus, madame Bellerose et lui, avec l'aide de ses avoués, pour dénouer la crise provoquée par la falsification des titres de propriété.

Madame Bellerose, par la voix de son procureur, lui avait évité la poursuite judiciaire qui lui pendait au-dessus de la tête. Madame Bellerose s'était en effet déclarée bien informée de l'innocent subterfuge auquel elle avait consenti dans le seul but de s'éviter les inconvénients d'un voyage à Montréal. On pouvait voir la preuve de son consentement dans le fait qu'elle était disposée à signer sur-le-champ tous les documents nécessaires à l'endossement réel de la dette de son mari.

La partie secrète de l'accord résidait en ce que madame Bellerose avait remboursé, par la même occasion, l'emprunt de mille cinq cents dollars, en puisant à même son propre patrimoine. Bien entendu, ces événements s'étaient produits à l'insu de monsieur Bellerose. Le chargé d'affaires de la banque avait accepté de jouer le jeu jusqu'au bout et de recevoir de monsieur Bellerose des sommes d'argent qu'il verserait immédiatement au compte de sa femme. Il n'était que trop heureux de constater que cette dernière n'était pas la petite personne timorée dont elle avait présenté l'image quand il l'avait rencontrée pour la première fois à l'île Lozeau. Il aimait les gens de cette trempe.

Tim était tiraillé: très heureux de n'avoir plus à craindre les foudres de la banque, mais humilié en même temps de devoir cette accalmie à la générosité de la personne qu'il avait trompée. Une lourde dette à l'endroit d'Émilie. D'abord rembourser l'argent. Tim avoua au marchand qu'il n'était pas en mesure de remettre la somme entière qu'il avait empruntée. La vente de son bois avait rapporté moins que ce qu'il avait escompté. Il ne pouvait disposer que de sept cent cinquante dollars. Levy suggéra qu'il pourrait charger un de ses notaires qui se rendrait à Montréal dans les prochains jours de porter cette somme à la banque. Tim accepta la proposition et compta des billets, après quoi le marchand lui donna un reçu en bonne et due forme. Cette démarche mettait fin à la première partie de leur entretien; le plus ardu n'avait pas encore été abordé.

— Votre beau-père soutient qu'il a maintenant la preuve que c'est sous votre gouverne que son moulin a été incendié.

Un épais silence emplit la boutique.

— Ce qui est pire, poursuivit le marchand, c'est qu'il m'en tient responsable avec vous.

Tim sourit.

— Vous voyez bien qu'il est détraqué, vous accuser, vous!

— Ne prenez pas la chose trop à la légère, monsieur Bellerose. Votre beau-père a porté l'affaire devant les tribunaux. Nous serons tous les deux appelés à comparaître à la session d'automne.

— Le tribunal ne retiendra rien des divagations d'un vieillard retourné à l'enfance.

— Et si quelqu'un d'autre témoigne?

— Personne ne témoignera...dit lentement Tim en détachant les syllabes.

— Votre beau-père soutient, insista le Juif, qu'il a des preuves et des témoins.

Tim se leva et se dirigea vers la porte avec beaucoup de désinvolture. Le marchand ne put se retenir d'éprouver une poussée d'exaspération à son endroit.

Tim se présenta chez Cyprien Létourneau sans s'être fait annoncer. Il frappa aux trois portes sans obtenir de réponse. Il entra et il trouva le vieillard recroquevillé dans un fauteuil à roulettes dans un coin de la cuisine. Les volets clos. Un vieux vautour déplumé sur la branche sèche d'un arbre mort.

Létourneau fixait sur son gendre deux petits yeux dont Tim n'aurait su dire s'ils exprimaient de la haine ou de la frayeur, ou les deux à la fois.

Ils se dévisagèrent un moment, après quoi Tim alla ouvrir la porte qui donnait sur le jardin en friche et il poussa le fauteuil de l'infirme dehors. Il le laissa là, au milieu des framboisiers envahissants, face au grand soleil de quatre heures.

Il retourna à la maison des Bellerose au Port-Saint-François. Marie et Jérémie l'observaient à la dérobée. Il s'était assis sur un banc sous la fenêtre et il regardait le soleil couchant.

— Demain, dit-il à Jérémie, tu iras à l'île Lozeau emprunter un cheval. Je ne partirai pas d'ici avant d'avoir retourné cette terre.

Le bien des Bellerose était à l'abandon depuis plusieurs années déjà. La saison était avancée. Tim s'acharna. Ses engagés se présentèrent au rendez-vous des premiers jours de juillet. Tim leur annonça qu'on ne remonterait sur la rivière du Nord qu'une fois la terre dépouillée de ses broussailles, labourée, hersée et semée. Il les mit à l'ouvrage pour relever les clôtures que les animaux des voisins avaient abattues. Les fossés furent nettoyés, des rigoles creusées, les planches arrondies.

La vieille Marie était subitement devenue la mère de quinze hommes. Elle prenait plaisir à leur mijoter des soupers généreux. Jérémie courait partout, les bras et la tête pleins de commissions. Juillet s'épanouit. Les derniers jours s'égrenèrent au rythme de la sueur et de la fontaine d'eau fraîche. Tim annonça que le temps était venu de partir pour les chantiers de la McManus. La veille du jour fixé, il se rendit seul à l'île Lozeau.

Émilie discutait dans la cour avec Jean-Jérôme, qui s'éloigna discrètement en voyant son père arriver. Tim avait son sac à l'épaule. Il marcha droit sur Émilie, déposa son sac sur le sol et en tira une botte de sarrasin encore vert qu'il mit dans les mains de sa femme. Celle-ci se jeta à son cou sans lâcher son bouquet de verdure. Tim en avait plein la figure.

Il se tourna vers Jean-Jérôme qui se tenait un peu à l'écart.

— Toi aussi, j'aimerais que tu viennes avec moi pour une fois.

Jean-Jérôme se tourna vers sa mère qui acquiesça du coin de l'oeil.

Dès leur retour sur la rivière du Nord, les hommes de Tim commencèrent à tresser des lianes de fibre de bois pour assembler un radeau de douze sections. On ne tarda pas à constater que les hommes de Véronneau, ceux-là mêmes qui étaient partis l'hiver précédent vers l'Ouest pour aller épouser la cause des Métis, besognaient à proximité.

Le lendemain, Tim constata que c'était Gervais qui menait ces hommes. Il se garda de lui sauter dessus, comme il en eut d'abord l'impulsion; la fourberie de ce putois méritait mieux que quelques coups de poing.

Il apprit en outre, au village, que Véronneau et ses hommes n'étaient pas allés bien loin l'hiver précédent et qu'ils étaient vite revenus rôder autour des camps. Gervais les avait embauchés pour le compte de la Knight & Gardner.

Pour ce qui était des insurgés de l'Ouest, l'affaire avait été vite entendue: cinq mille miliciens, des trains entiers de provisions et d'armes contre quelques centaines de chasseurs de bisons. Riel en appelait à Dieu, Gabriel Dumont, son second, à la ruse et le major Crozier au feu et à la poudre. Deux mois d'escarmouches et Batoche était tombée. Les partisans en fuite.

Les hommes des deux groupes, celui de Tim et celui de Gervais, cependant, ne pouvaient s'empêcher de fraterniser et de se passer du tabac autour du feu, au cours des longues soirées chaudes que la première semaine d'août leur réserva. Ceux qui avaient voulu aller se battre dans l'Ouest avaient de palpitants récits à faire. À les entendre, si tous ceux qui s'étaient portés au secours des Métis avaient eu leur courage et leur détermination, le major Crozier et ses miliciens seraient en train de pleurer leur déconfiture dans les bras du gouvernement.

Des nouvelles commençaient à parvenir au village du procès qu'on avait fait à Riel à Régina, capitale de la Saskatchewan, dans les derniers jours de juillet. Le premier août, il avait été condamné à être pendu. Malgré la recommandation de clémence du jury, l'exécution avait été fixée au 18 septembre. Riel en appelait de la décision, mais personne ne gardait plus d'espoir que sa voix soit entendue. Ce qu'on rapportait de ses propos au procès démontrait à l'évidence qu'il avait l'esprit dérangé. Son propre avocat avait d'ailleurs tenté de jouer la carte de la maladie mentale pour tenter de sauver la vie de l'accusé mais ce dernier avait refusé de se prêter à cette manoeuvre, ce qui prouvait à quel point il était atteint de folie.

Gervais, qui continuait de se faire appeler Saint-Cyr par ses hommes, s'était bien aperçu lui aussi que Tim Bellerose assemblait un radeau à côté du sien. Ce n'était pas la première fois qu'il se trouvait dans la situation de revoir un de ses anciens «clients». Il avait appris qu'il fallait éviter à tout prix l'affrontement. Le mieux à faire était de finir sa cage avant l'autre et de filer. Il fit miroiter à ses hommes la promesse que sitôt ce premier radeau livré à Québec, on reviendrait en faire un second. Les gens de l'équipe de Véronneau n'avaient pas trouvé fortune pendant leur campagne d'hiver. Ils y avaient plutôt dépensé leurs derniers écus. La perspective d'un deuxième engagement les fouetta. Leur cage fut prête le sept août à la fin du jour. Le lendemain matin, ils n'étaient plus là.

Tim allait donner l'ordre à ses gens de commencer à monter les cabanes sur la sienne quand on vint lui annoncer que les câbles de fibre qui retenaient les sections de son radeau avaient été coupés. Il n'y avait pas à chercher longtemps pour savoir qui avait commis le méfait. Il fallut toute la journée et une partie de la soirée pour les remplacer. Les hommes étaient fourbus. Tim n'en donna pas moins le signal du départ à la première lueur du jour le lendemain. Les cabanes et l'abri de cuisine n'étaient pas assemblés. Il fit charger le bois nécessaire à leur confection; on aurait tout le temps, pendant la descente, de les construire. La tente leur suffirait en attendant que ces ouvrages soient terminés.

Ils atteignirent la première glissoire le soir même. Il n'était pas question de s'y engager à une heure aussi tardive. Tim avait une autre préoccupation: ces glissoires qui n'étaient que des plate-formes inclinées servant à contourner les chutes et les rapides trop prononcés, emportaient les sections du radeau à une vitesse considérable. Il était coutume d'amarrer solidement tout ce qui s'y trouvait mais on n'avait pas l'habitude de s'y présenter avec des tas de bois comme c'était le cas pour les matériaux des cabanes et de l'abri de cuisine. La prudence la plus élémentaire aurait voulu qu'on prît le temps de finir ce travail avant de démonter le radeau en sections qu'on lancerait une à une dans les glissoires. Tim ne voulut pas attendre. On travaillerait toute la nuit à la lueur des torches et on passerait cette première glissoire dès le lendemain matin. Ce qui fut fait.

L'abri de cuisine ayant été terminé en premier, Jérémie en avait pris possession. Un grand feu dans le bac à sable, du thé chaud et de trop brèves conversations en caressant la fourrure du chat que le nain avait adopté sur la rivière du Nord et qu'il avait embarqué avec lui. Des doutes aussi, au creux du ventre, à propos de ce qu'il adviendrait si son père rejoignait le premier radeau.

Tim était dans un grand état d'excitation depuis le départ. Il courait partout et donnait des directives dont ses gens auraient pu se passer. Jean-Jérôme l'observait, la tête inclinée. La cage de Tim rejoignit le fleuve deux jours après le passage de celle que menait Gervais, du moins le crut-on aux renseignements recueillis auprès de pêcheurs qui ne faisaient évidemment pas profession de garder en mémoire le visage de ceux qu'ils voyaient défiler sur les radeaux.

Le temps était favorable. Un mois d'août de paradis terrestre. La cage de Tim passa devant Montréal. Des radeaux étaient amarrés à l'île Sainte-Hélène. Tim les longea pour se rendre compte que celui qu'il cherchait n'y était pas. Il l'aperçut deux heures plus tard, en aval, devant Boucherville.

Il se trouve à cet endroit quelques îles allongées à la file qui divisent le fleuve en deux bras. Celui qui touche la rive sud était encombré de deux radeaux amarrés côte à côte. Celui de Gervais était le plus près de la rive, facilement identifiable à la couleur rouge de ses voiles. Un seul homme y montait la garde. Tim fit jeter l'ancre de chêne un peu plus loin et descendit à terre en compagnie de Jean-Jérôme et de Jérémie. On les regarda s'éloigner sur la berge en direction du village en se demandant ce qu'ils comptaient faire.

Boucherville était une agglomération toute en longueur. Une seule rue, l'église au milieu et quatre auberges, deux de chaque côté. Il y régnait une grande agitation. Un va-et-vient incessant de voitures. Des barques amarrées sur la berge glaiseuse descendaient des dizaines et des dizaines d'hommes qui venaient se joindre à la foule nombreuse qui emplissait déjà les auberges. Tim apprit d'un passant qu'il se préparait, pour le soir, sur les terrains qui s'étendaient devant le fleuve en face de l'église, une grande assemblée pour protester contre la condamnation de Riel.

Une atmosphère d'émeute tint Boucherville dès la tombée du jour. Des ouvriers finissaient d'assembler l'estrade qui fut décorée de bannières bleu, blanc et rouge, aux couleurs de la France républicaine. Des cruchons d'une eau-de-vie sans nom circulaient de main en main sans qu'on sût qui était l'auteur d'une pareille générosité. Des groupes se formaient sur les trottoirs de bois, composés essentiellement d'hommes qui étaient du même avis et qui n'en échangeaient pas moins de vifs propos. Tous ceux qui ne s'opposaient pas fermement à la pendaison du chef des Métis étaient restés chez eux sans faire de lumière. Le premier orateur fut un jeune avocat qui s'écoutait parler. On ne l'en applaudit pas moins comme s'il venait de proclamer la liberté, l'égalité et la fraternité. Le second, un vieux lion à crinière blanche, parla d'une voix chevrotante pour dire que non seulement Riel ne devait pas être pendu, mais qu'il faudrait plutôt lui élever des monuments dans chaque village. Le troisième tira une feuille froissée de sa redingote et lut d'un trait une suite de résolutions d'où il ressortait, après un grand nombre de «considérants», que les députés canadiens-français au parlement devaient user de tout leur pouvoir pour empêcher l'ignominie que représentait la pendaison de Riel. L'exclamation qui monta de la foule établit que les résolutions étaient adoptées à l'unanimité.

Tim, Jean-Jérôme et Jérémie circulaient parmi les centaines de citoyens qui assistaient à l'assemblée. Il se trouvait en effet tous les dix pas des groupes de discoureurs passionnés qui tenaient à leur façon une petite réunion improvisée à l'intérieur de la grande. Tim et ses fils aperçurent Gervais au pied d'un gros arbre. Ceux qui l'entouraient n'étaient pas les membres de son équipage. Des gens venus on ne savait d'où pour se faire conforter dans leur opinion que les Canadiens étaient une fois encore trahis par les dirigeants anglais du pays. Gervais ne se faisait pas tort de les encourager dans cette idée.

Tim jeta un petit coup d'oeil à Jean-Jérôme et à Jérémie; le premier aurait voulu retenir son père, le second était anxieux de connaître la suite des événements.

Ils approchèrent. Gervais parlait comme s'il avait personnellement participé à la résistance à Batoche. Tim l'interpella. L'autre ne parut pas se rendre compte tout de suite que quelqu'un de son assistance s'opposait à ses propos et continua le récit des combats imaginaires qu'il avait livrés aux miliciens du major Crozier.

— Cet homme est un menteur! cria Tim d'une voix forte.

On se tourna vers lui. Jérémie frottait sa main sur la manche de son chandail de laine bleue.

— Je vais vous le dire, moi, poursuivit Tim, pourquoi les Métis de Riel ont été battus. C'est à cause de gens comme ce monsieur, plus traîtres que des serpents. Pendant que les Métis se battaient, cet individu était dans les cours à bois de Québec à faire des basses besognes pour le compte des Anglais. Voilà la vraie raison de la défaite des Métis.

Gervais chercha à parler plus fort que son détracteur. mais Tim continuait de crier.

— Les Canadiens sont toujours en train de se plaindre mais quand vient le temps d'agir, ils rentrent chacun chez soi comme des animaux à l'étable. Y en a-t-il un seul parmi vous qui ait pris le chemin des plaines de l'Ouest ce printemps?

Il n'attendit pas une réponse qui ne viendrait pas de toute façon.

— Alors retournez donc chez vous, si vous n'avez pas mieux à faire. À quoi sert-il d'adopter des résolutions qui sont destinées à des gens qui ne les liront même pas?

On commençait à murmurer autour de lui.

— Les Canadiens ne seront vraiment chez-eux dans ce pays que le jour où les machines à vapeur qu'on commence à installer dans les manufactures porteront leur nom en lettres de cuivre sur leurs flancs. Pas avant. Tout le reste n'est que de beaux discours dont vous n'avez que faire.

— Mes amis, intervint Gervais, allez-vous laisser cet homme vous insulter sans rien faire?

On entoura Tim. Un gros homme lui mit la main sur le bras. Tim se dégagea d'un geste brusque. Il écarta ceux qui se tenaient devant lui pour faire quelques pas en direction de Gervais. Jean-Jérôme et Jérémie tentèrent de retenir leur père mais c'était peine perdue.

— Il n'y a pas un peuple de la terre qui ait jamais aboli les inégalités en confiant son destin à des illuminés. Les Canadiens français sont de petites gens dans ce pays, c'est vrai, mais ce ne sont pas des individus égarés par l'ambition qui vont y changer quelque chose. Ouvrez donc les yeux! Où vont-ils, vos grands chefs révolutionnaires, quand la tourmente prend des proportions qu'ils ne contrôlent plus? S'engraisser aux États-Unis! Ceux de 1837-38 l'ont fait, Papineau, Robert Nelson. Riel aussi, il y a dix ans, après l'échec de son soulèvement au Manitoba. Et c'est à des gens comme ceux-là que vous voulez dresser des monuments dans nos villages?

On commençait à s'agiter autour de Tim qui poursuivit:

— Vous n'avez donc pas encore compris que la colère est un piège que vous tendent ceux qui veulent votre perte? On ne fait pas autrement avec un jeune bouc. Il suffit de l'exciter assez et il fonce. Pour peu qu'on s'écarte à temps, il se fracasse contre le mur. Votre Riel, c'est un bouc à sa façon et qui n'a d'ailleurs plus toute sa raison.

Depuis quelques minutes, Jean-Jérôme avait mis la main sur le bras de son père et il tentait de l'entraîner. Jérémie était trop étonné de ce qu'il entendait pour réagir. En même temps, cinq hommes parmi ceux qui entouraient Tim cherchaient à s'emparer de lui. Une bousculade s'ensuivit au cours de laquelle Tim ne cessa pas de crier:

— Moutons, fils de moutons, deux fois tondus et qui bêlent pour l'être encore, à condition que ce soit par un des leurs...

Tim reçut un coup de poing derrière la tête. Il tomba par en avant. Jean-Jérôme voulut le retenir mais, quelqu'un venait de le frapper au ventre. Il s'effondra pardessus son père; Jérémie voulut intervenir; il fut écarté.

Gervais s'était approché pour exciter ceux qui s'acharnaient sur Tim et ses fils.

— Corrigez-les bien, à défaut de les pendre!

Une pluie de coups s'abattit sur le père et les fils. Jean-Jérôme et Jérémie ne cherchaient pas à se défendre mais à protéger Tim. Celui-ci frappait tous ceux qui se trouvaient à sa portée. Il était à genoux et il se démenait. Jean-Jérôme finit par saisir son père par le bras. Il tira de toutes ses forces. Jérémie, qui venait de se rendre compte de ce qui se passait, s'empara d'une jambe et tira à son tour. Ils entraînèrent Tim que ses assaillants continuaient de frapper. Ils finirent par le dégager de la foule. Remis sur pieds, Tim ne semblait pas très conscient de ce qui lui arrivait. Ses fils le remmenèrent au radeau et l'étendirent sous l'abri de cuisine après lui avoir fait avaler une gorgée de rhum. Tim s'empara du cruchon et il but à pleine bouche. Jean-Jérôme le lui ôta.

— Vous n'avez pas peur que le sang vous prenne feu? demanda-t-il.

— Je sais ce que j'ai à faire.

— Il faut aussi savoir ce qu'il ne faut pas faire.

Les deux fils veillèrent leur père toute la nuit. En même temps, ils s'observaient du coin de l'oeil pour chercher à découvrir comment l'autre interprétait ce qui s'était passé. Jean-Jérôme était las de cette agitation; Jérémie, tiraillé de sentiments contradictoires.

Tim s'était assoupi. Les radeaux étaient déserts. On entendait des cris, toute une agitation du côté de Boucherville.

Le soleil était déjà levé quand les hommes de Tim revinrent au radeau. Non seulement n'avaient-ils pas dormi, mais ils s'étaient battus aux petites heures avec Gervais et les siens. Bosse boitait, le vieux Blaise avait une écorchure au front et les Irlandais de Shoon juraient en anglais. Joseph apprit à Tim qu'après la bagarre, il ne se trouvait plus un seul meuble intact dans la salle de l'auberge où ils avaient enfin déniché ceux qui avaient coupé les câbles de leur radeau sur la rivière du Nord.

Peu de temps après, on vit les gens de Gervais regagner leur cage à leur tour. À leur vue, Tim se dressa.

— Tas de lâches! criait-il, attendez que j'aie mené ce radeau à Québec, vous n'êtes pas prêts de retourner faire la loi sur la rivière du Nord!

Gervais lui répliqua:

— Tu peux toujours parler, Bellerose, à ta place je m'inquiéterais de savoir si j'arriverais seulement à Québec...

Tim était prêt à bondir à la rencontre de Gervais, mais Jean-Jérôme donna l'ordre de hisser les voiles. Les rames mouillées, le radeau de Tim décolla. L'autre le suivit de près.

CINQUIÈME PARTIE

La corne de brume

«Ohé! Ohé! vous autres... les saints pitoyables qu'il avait toujours priés... les morts... la terre... Sa voix râlante n'était plus maintenant qu'une petite chose perdue...»

F.-A. Savard,
Menaud maître-draveur

Debout à l'avant du radeau, Tim Billerose sonnait de la corne de brume. Cela inquiétait ses hommes, qui n'avaient pas envie d'attirer l'attention de l'équipage du ponton adverse. Les cageux, c'était connu, n'étaient pas de l'espèce qui passe ses nuits à dormir tranquillement. Il ne fallait pas être sourd non plus pour pratiquer ce métier: on a l'oreille fine quand on a passé vingt ans de sa vie à entendre avant tout le monde le murmure d'un rapide qui doit se trouver encore à un bon mille de distance. Et que pouvait signifier le son d'une corne de brume par une nuit sans brouillard? Pour certains, et ceux de l'autre radeau étaient sans doute de ceux-là, cela devait évoquer le cri de l'animal blessé. De là à les imaginer, surgissant dans leur barque, leurs longues gaffes à crocs de fer à la main, il n'y avait qu'un tout petit pas que Joseph, Antoine et Maurice avaient franchi sans peine. Le patron avait toute autorité sur le radeau, c'était entendu, mais s'il venait à perdre la raison, fallait-il se laisser sombrer avec lui?

Après le départ de Jérémie et de Bosse, les trois derniers membres de l'équipage du radeau s'étaient réfugiés sous l'abri de cuisine. Maurice avait tiré ses dés de sa poche et ils se penchaient à présent sur ces cubes de bois qui représentaient tout ce qu'il y avait d'important au monde pour eux, le rêve. Le chat venait de sauter à terre, comme chaque fois qu'il le pouvait, mener des combats épiques contre des mulots et autres rongeurs inoffensifs.

Tim était toujours debout à l'avant, tenant sa corne à deux mains et soufflant dans toutes les directions. Il avait les cheveux en feu. Ses gestes dépassaient sa taille. Personne ne pouvait l'arrêter. Les hommes avaient bien essayé de lui prendre son instrument; Tim se repliait sur lui-même, protégeant la corne contre son ventre entre ses coudes et sautant partout, par-dessus les coffres et les rouleaux de câbles, sans relâcher sa plainte.

Tim finit par revenir vers eux sous l'abri.

— Vous voulez que je vous dise quelle est la plus grande victoire des Anglais? Ils vous ont laissé gratter la terre et vous vous êtes contentés de ça. Pendant ce temps, ils ont tout empoché. Le Saint-Laurent est à eux, les banques et le gouvernement, les machines à vapeur et les forêts. Mais ouvrez donc les yeux!

Les hommes ne voyaient pas plus loin que le bout de leur pipe.

— Hardi! leur cria-t-il, Québec est encore loin.

Ils ne firent pas un geste, convaincus qu'il avait tout à fait perdu la raison. Le radeau était échoué, en pleine nuit, sur la pointe vaseuse d'une île déserte, et il leur annonçait le plus simplement du monde qu'on allait se remettre en route.

— On n'est pas sortis de là, patron, hasarda Joseph.

— Qu'est-ce que vous attendez, répliqua Tim en marchant vers eux, la corne de brume à la main, on va défaire le radeau en sections. C'est bien le diable si de cette façon on ne réussit pas à le remettre à flot.

Les hommes se regardaient sans trop savoir ce qu'il fallait penser. En pleine nuit? Mais personne ne souhaitait aviver la colère de Tim.

— On peut toujours essayer, dit encore Joseph.

— Essayer? Ce n'est pas ce que je veux entendre.

— C'est pas une mince tâche, renchérit Maurice, et c'est pas dans le contrat.

Tim bouillait.

— C'est pour mener le radeau à Québec que je vous ai engagés.

— Pas pour le démonter, répliqua Joseph, ça, c'est l'affaire des marchands de Wolfe's Cove.

— A l'ouvrage! trancha Tim.

Il voyait à travers eux.

— Les gages, ça vous dit quelque chose? Je vous donne ceux d'un des déserteurs.

— S'ils reviennent comme ils ont dit?

— Ils ne reviendront pas. Vous voulez savoir pourquoi?

Les hommes attendirent docilement la réponse.

— Parce qu'on ne sera plus là au matin.

Tim tira sa montre de sa poche et s'approcha du fanal.

— Il est onze heures. Défaire les liens, pousser les sections au large, rassembler tout ça, c'est l'affaire de quatre ou cinq heures. On sera dans le chenal des Barques à la barre du jour. Et je maintiens ce que j'ai dit.

Tim semblait ne douter de rien.

— On sera les premiers à Québec.

Il y eut un dernier moment d'hésitation. Si on entreprenait la manoeuvre, il faudrait aller jusqu'au bout. Six heures, un jour, deux jours? L'appétit l'emporta.

— Marché conclu, patron, dit Joseph.

Et il jeta encore une fois son galurin par terre pour le piétiner avec frénésie. L'accord était scellé. Alors Tim donna le détail de son plan, fanal au poing. Les hommes étaient penchés sur le rond de lumière qui tremblotait sur le pont. Accroupi, Tim dessina avec la pointe de sa corne de brume des manoeuvres imaginaires. On allait s'en prendre à beaucoup plus gros que soi; il fallait s'arranger pour que le radeau ait envie de sortir de là de lui-même. Lui redonner le goût du large pour qu'il fasse effort lui aussi. La cage était composée de douze sections plus longues que larges, trois de côté et quatre l'une derrière l'autre. Il était évident que celles d'en arrière étaient moins profondément enfoncées dans la vase que celles d'en avant. On en détacherait six en arrière et on les enverrait dans le courant. Avec un peu de chance, le vent soufflerait dans la bonne direction et la moitié du radeau entraînerait l'autre. Auparavant, on aurait eu la précaution de retirer deux des mâts de leur sabot pour s'en faire de puissants leviers. La suite ne pouvait être qu'une affaire de ténacité.

Il fallait commencer par défaire une douzaine de liens de fibre de bois tressée. Les premiers avaient été noués il y avait plusieurs jours maintenant, très haut sur la rivière du Nord. Les noeuds étaient sur le dessus, fort heureusement, mais la vague les avait lavés sans ménagement pendant toute la descente. Chaque brin de fibre s'était gorgé d'eau. Joseph, Antoine et Maurice se penchaient dessus, essayant tour à tour d'y enfoncer un poinçon et se redressant pour regarder le patron, des gestes d'impuissance plein les mains. Tim s'y mit à son tour après avoir donné son fanal à Maurice.

— Eclaire ici, encore plus bas, pas dans ma face, marsouin!

Mais il n'eut pas plus de succès que les autres. Alors, il s'en alla d'un pas rageur vers l'avant du radeau en marmonnant des imprécations. Il en revint tenant sa hache à la main et il fendit d'un coup le premier noeud.

— Faut pas faire ça, patron, risqua Joseph, on pourra pas les rattacher.

— On mettra des bouts de câbles.

— Ça tiendra pas.

— On est presque arrivés.

Joseph n'osa rien répliquer. Tim continua de trancher ses noeuds à coups de hache. Il y eut bientôt deux radeaux côte à côte que rien n'unissait plus. La partie qu'on souhaitait pousser au large ne bougeait cependant pas. Il n'y avait même pas l'espace entre deux pièces pour insérer un levier. Les hommes se mirent à quatre pour pousser. Rien. Et d'ailleurs le vent soufflait toujours dans la mauvaise direction, c'est-à-dire en plaquant la section qu'on voulait dégager contre celle qui était la plus envasée. Tim regardait autour de lui, l'air de chercher une solution dans la nuit.

Il était hors de lui. Sa colère le harcelait comme un petit chien. Ses hommes n'étaient pas en meilleur état que lui. Le coeur leur faisait des bonds dans la poitrine. La nuit devenait mauvaise. Un vent nord, nord-ouest, poussait des bourrasques surprenantes qui forçaient les hommes à se refaire un équilibre. Les vagues qu'il entraînait avec lui sur les eaux sombres du Saint-Laurent poussaient le radeau contre la batture et finissaient le plus souvent par éclater en embruns qui leur sautaient au visage. La sueur leur brûlait les yeux et leur coulait jusque dans la bouche. Il venait de commencer à pleuvoir, pour longtemps, c'était évident.

On n'attendait plus rien, ni des cieux ni de la terre, quand Jérémie et le nain entrèrent dans le cercle de lumière. Ils étaient trempés de haut en bas et des débris de ces herbes frisées qui poussent dans l'eau des canaux des îles de Sorel étaient accrochés à leurs cheveux et à leurs vêtements.

— Pourquoi avez-vous sonné de la corne de brume? demanda Jérémie.

Jérémie et Bosse n'avaient pas eu de mal à reconnaître l'appel. Ils étaient revenus aussi vite qu'ils avaient pu, craignant le pire, et voici qu'ils se retrouvaient devant des hommes exténués, certes, mais sans que rien ne laisse présager quelque danger que ce soit. Jérémie répéta sa question:

— On voudrait savoir pourquoi vous avez sonné de la corne de brume.

Tim regarda vers le large.

— Et moi j'aimerais bien savoir de quel droit tu m'interroges sur ce ton.

— Je suis venu à votre secours.

— Tu entends le vent et tu crois que c'est le bon Dieu qui t'appelle.

— Vous vous prenez pour le bon Dieu maintenant?

Tim se tourna brusquement vers Jérémie et le gifla. L'instant d'après, ils se battaient rageusement en roulant sur le ponton. Les hommes ne firent pas un geste pour les séparer, les trois fidèles d'un côté, le nain de l'autre. Ils luttaient sourdement en haletant. Un des fanaux se renversa et son contenu s'enflamma. Les deux hommes continuèrent à se battre. Joseph était allé quérir un seau pour jeter de l'eau sur le feu. Tim et Jérémie étaient à genoux maintenant, se tenant aux épaules et se regardant dans les yeux. Ils eurent un geste presque en même temps pour se relever mais ils restèrent là, agenouillés l'un devant l'autre, jusqu'à ce qu'ils en viennent à s'appuyer mutuellement la tête sur l'épaule de l'autre comme le font les chevaux mélancoliques dans les champs. Ils pleuraient tous les deux mais personne n'en fut témoin.

Les hommes s'étaient retirés une fois de plus sous l'abri de cuisine. Le père et le fils étaient toujours à genoux, dans les bras l'un de l'autre, à l'autre bout du radeau. Chacun détourna le regard quand on les vit se relever et venir vers l'avant. On s'aperçut que le vent avait encore forci si c'était possible.

La nuit tressautait de tout son vent. Les vagues sautaient sur le radeau et la pluie malmenait l'abri. Le temps était décidément trop mauvais pour qu'on essaie de remettre la cage à flot. On était sur la pente descendante de la nuit. Il fallait se reposer un peu avant le matin. Qui plus était, le père et le fils venaient de se battre devant tout le monde.

Tim était renfrogné. Il finit par se tourner vers son fils.

— Fini de courber l'échine! dit-il. Il va falloir apprendre à bien manger maintenant, sur des nappes blanches, avec des couverts en argent.

Jérémie regarda son père bien en face. Il aurait voulu lui rappeler que depuis qu'il le suivait partout, depuis sa plus tendre enfance, qu'il besognait comme un homme à ses côtés, sans compter ses forces, il avait rarement été convié à manger avec des couverts d'argent.

On s'aperçut que Bosse avait tiré son harmonica. Jérémie se tut. Le nain disait les choses bien mieux que lui.

Tim marcha sur le nain.

— Tu veux que je te la fasse avaler, ta musique à bouche?

Bosse cacha l'harmonica derrière son dos mais ses yeux en disaient autant que sa musique. Tim n'était pas dupe.

— As-tu fini de jouer au plus fin? éclata-t-il.

Jérémie s'interposa.

— Laissez-le tranquille.

Le père et le fils, encore une fois, face à face.

— Qu'est-ce qu'il a tant, Bosse, demanda Tim, pour que tu le défendes comme ton frère?

Jérémie avait les mains dans les poches, bien carré sous la laine bleue de son père.

— Il en sait plus qu'on pourrait penser, répondit-il.

Tim se moqua.

— Est-ce qu'il peut nous tirer de là, Bosse, avec ses secrets? Écoute-moi bien, morveux! Je vais t'en dire un secret, moi. Tu en as de la chance. Un enfant, on le brasse un peu, il devient meilleur. Comme pour le beurre. Moi, je n'ai pas eu de père pour me botter le derrière. Il a fallu que je le fasse moi-même. Ce n'est pas facile, tu sais.

Tim repliait la jambe dans un effort dérisoire pour se toucher le derrière avec le talon.

— Tu vois, c'est impossible.

Il se tourna vers les joueurs de dés qui étaient restés la main en l'air.

— C'est ça, vous autres, dites vos prières autour du feu. C'est tout ce dont vous êtes capables.

Il interpella de nouveau son fils.

— Viens, il faut qu'on prenne soin de ceux-là. Notre-Seigneur a dit: «Bienheureux les simples d'esprit». On va tendre des voiles contre l'abri de cuisine. Comme ça, ils seront à l'aise. Nous deux, on s'occupera du principal, ensuite.

Tim était emporté par sa pensée. Jérémie obéit. Trois voiles furent plaquées contre l'abri de cuisine. Le père et le fils étaient restés dehors. Une pluie fine les usait. Tim mit la main sur l'épaule du jeune homme.

— Tu veux que je t'en dise un autre secret?

Jérémie regarda son père avec le regard franc qu'il avait.

— Je viens d'apprendre que le français, c'est pour le pain, la soupe, le bois, l'eau, les choses de la maison; l'anglais, pour gagner sa vie.

La nuit était roulée en boule comme un chat. Un animal gigantesque avec tout le fleuve Saint-Laurent dans son ventre et le radeau de Tim Bellerose, une bouchée de sa digestion: trois pauvres diables qui somnolaient plus qu'ils ne jouaient aux dés, un garçon de dix-huit ans, un nain mélancolique et puis Tim. Le vent secouait les voiles qu'on avait disposées pour fermer l'abri. La lampe clignait de l'oeil de temps en temps. Le feu sur le bac de sable se réchauffait à peine lui-même. On pouvait douter qu'un matin vienne jamais à se faire. Cela n'avait d'ailleurs plus tellement d'importance. Tim et Jérémie s'égaraient dans leurs pensées.

— Vous savez où vous allez, demanda soudain Jérémie, après, quand ce radeau sera livré à Québec, qu'est-ce que vous ferez?

Tim le regarda franchement.

— En faire flotter un autre, et un autre après.

— Vous serez à bout de souffle...

Tim tira deux longs appels de sa corne de brume.

— Ce ne sera pas la première fois...

Tim se leva.

— Debout!

Ses hommes rentrèrent la tête dans les épaules.

— Dépêchez-vous.

Ils étaient lourds de sommeil mal digéré. Tim les pressa.

— Joseph, Antoine, vous allez me vider l'arrière du radeau, les coffres, les câbles, les ancres, tout; Jérémie, Maurice, toi aussi Bosse, ôtez les mâts. On va s'alléger.

Il alla lui-même chercher un coffre qui contenait les outils de pont, des pinces, des clés pour serrer des boulons et la tarière démanchée. Il laissa tomber le coffre au pied des hommes. Le temps de se remettre les pans de la chemise dans le pantalon et ils étaient à l'ouvrage.

Jérémie, Maurice et le nain tentaient d'arracher un des mâts à son sabot; Tim alla leur prêter main-forte.

— Écartez-vous.

Il prit la pièce à bras-le-corps et l'enleva d'un coup. Déséquilibré, il vacilla. Les hommes le retinrent. Il était déjà plus loin.

— Venez par ici.

Il y avait quatre cabanes de planches qui servaient de quartiers à l'équipage pendant la descente. C'étaient des constructions sommaires dont le bois serait vendu, comme tout le reste, à Québec. Il était prévu qu'on puisse les déplacer, au cas où il faudrait sectionner le radeau pour franchir les passages étroits des rivières ou certaines glissoires spécialement aménagées pour contourner les rapides. Ces cabanes étaient pourvues, à cet effet , de quatre poignées de câble. Un homme à chaque poignée, deux autres pour assurer l'équilibre, et la première fut transportée à l'avant. Ainsi des trois autres. Les pauvres affaires de l'équipage, des sacs surtout et des litières de branches, restaient sur le pont, à l'emplacement des cabanes.

— Ramassez vos guenilles avant que je les jette à l'eau.

Bientôt, l'arrière du radeau fut aussi net que le jour où on l'avait assemblé sur la rivière du Nord. Les hommes se tenaient ensemble, au milieu, attendant de nouvelles directives. C'est encore à coups de hache que Tim les donna, tranchant les noeuds de fibre de bois tressée qui unissaient les sections entre elles.

— Mettez-moi un câble sur une des bittes, qu'on ne perde pas tout.

La première section amarrée de long, il ne fut pas trop difficile de la remettre à flot.

— Vous voyez, dit Tim, c'est simple, il suffit d'en faire autant pour le reste.

Une heure plus tard, les six sections de l'arrière étaient dégagées. Tim soufflait comme un cheval, ses hommes ne tenaient plus debout. Le plus difficile restait à faire. C'était une chose de pousser au large les sections de l'arrière, moins envasées; c'en était une autre d'arracher celles de l'avant. Il n'y avait pas d'autre moyen que de se dévêtir entièrement et de se jeter à l'eau, enfonçant jusqu'à mi-jambes dans une boue douteuse. La section sur laquelle se trouvait l'abri de cuisine serait dégagée la dernière. Seul le nain s'y trouvait encore; il n'avait pu suivre ses compagnons pour des raisons évidentes.

* *
*

Pendant ce temps, à Sorel, la grande salle de l'hôtel des Trois-Sabots était brillamment éclairée. Une quinzaine de quinquets de cuivre ornaient ses murs. Il y en avait partout. On ne faisait presque pas d'ombre en se déplaçant. On pouvait voir la face de son interlocuteur comme en plein jour. Et on ne manquait pas de regarder les seins de la grosse Hélène qui bougeaient sous son tablier.

Shoon frappa du plat de la main sur la table.

— Upon my honor! s'il ne nous verse pas nos gages, il le regrettera.

Ils n'avaient pas cessé de répéter la même chose, de toutes les façons possibles et imaginables, depuis leur arrivée à Sorel, Shoon, Baker, les trois autres Irlandais, les deux Blaise et Émile. Jean-Jérôme était avec eux mais il ne tenait pas le même langage, pour des raisons évidentes. Hélène les regarda du coin de l'oeil en passant. Baker la prit par le bras.

— Apporte à boire. C'est ce monsieur qui traite.

Il désigna Jean-Jérôme du menton. Celui-ci commençait à trouver qu'on puisait un peu trop librement dans son escarcelle. Il avait de quoi les tenir toute une semaine, mais il n'était pas de ceux qui aiment laisser les autres jouer avec les cordons de leur bourse. Il décida pourtant de laisser faire une dernière fois.

Jean-Jérôme était un grand gaillard, roux et frisé comme son père, mais il n'en n'avait pas l'assurance. Il marchait sur la terre comme tout un chacun mais sa tête était ailleurs. Il était arrivé à certains de voir du mépris dans son attitude. Il n'était pas marié. On ne lui connaissait pas de bonne amie non plus. Il habitait chez sa mère. On murmurait des choses à son sujet. Il n'en était rien.

— Sûr et certain, reprit Baker, Tim Bellerose ne l'emportera pas en paradis.

Les autres n'étaient qu'assentiment. Les petits verres de rhum qu'ils avalaient d'un trait depuis le souper renforçaient leur conviction: le patron s'en allait chez le diable avec son radeau. Fallait-il qu'il ait l'esprit dérangé! Leur coalition, c'était lui qui l'avait voulue.

Le mot était dangereux comme la chose. On ne le prononçait qu'à voix basse. Les coalitions étaient interdites. Pouvaient vous mener à la prison. Surtout les Irlandais. C'étaient eux qui avaient organisé la première.

On ne connaissait pas ce terme quand on avait fait pour la première fois les gestes qui y correspondaient. C'étaient les juges qui l'avaient inventé pour qualifier la conduite des ouvriers irlandais du canal de Lachine. D'honnêtes travailleurs, contrat en poche, qui refusaient soudain de travailler, formaient une coalition. Il n'y avait pas d'arguments pour contrer la malice du geste. Le patron allongeait les heures? Il ne vous payait pas? Il comptait le travail de votre femme et de vos enfants dans vos gages? Il vous forçait à acheter dans son établissement des denrées qu'il vous vendait trois fois le prix de ce qu'elles valaient? Si vous décidiez un bon matin de vous mettre à plusieurs pour aller demander des explications, vous formiez une coalition. On n'avait pas tardé à apprendre ce que cela signifiait. Il y avait eu trois morts au canal de Lachine et la milice leur avait tiré dans le dos. Cent blessés peut-être. Et le nombre de ceux qui étaient allés en prison ne se disait pas.

Ce qui s'était passé sur le radeau, devant Sorel, pouvait avoir toutes les apparences d'une coalition. Les hommes avaient tourné et retourné la chose dans leur tête. Au début, Emile et le vieux Blaise étaient partisans de retourner voir, au matin, où en était la cage. Shoon et Baker n'avaient pas eu de mal à leur faire comprendre que c'était se jeter dans la gueule du loup.

— Damn it! fit Shoon en tapant sur la table, le vin est tiré, il faut le boire.

Et, comme si elle avait entendu cette remarque, Hélène s'approcha, le cruchon sous le bras.

— Verse toujours, lui dit Shoon, c'est peut-être le dernier.

Jean-Jérôme se demandait de plus en plus qui, de son père ou de ces hommes, était le plus fou; à force de vider des verres de rhum sur les hypothèses les plus invraisemblables, ils les avaient affermies. Personne ne doutait plus maintenant de l'imminence de l'arrivée des gendarmes qui pouvaient faire irruption d'un moment à l'autre dans la salle de l'hôtel des Trois-Sabots pour s'emparer d'eux et les jeter au cachot. Et chacun était prêt à vendre chèrement le peu de liberté qu'il ait jamais eue.

— Vous pensez vraiment que mon père est du genre à aller se plaindre aux gendarmes? Ses affaires, il les règle lui-même.

— Si tu le connais si bien, répondit le vieux Blaise, va donc le raisonner.

Fallait-il que le vieux Blaise se soit laissé envahir par la peur pour parler de cette façon!

— C'est ce que j'ai essayé de faire.

— Alors, c'est Shoon qui a raison, renchérit le vieux Blaise, dont les mains tremblaient sur la table, c'est l'enfer assuré pour nous tous. Toi y compris, d'ailleurs.

— Tais-toi donc, fit Jean-Jérôme en regardant le vieux Blaise droit dans les yeux, tu ne sais plus ce que tu dis.

Et il se leva comme pour s'en aller. Les autres se dressèrent aussitôt pour l'en empêcher.

— Tu ne partiras pas d'ici, dit Shoon, Tu étais avec nous, tu y restes à présent.

Jean-Jérôme essayait de se dégager de leur emprise. Ils étaient huit pour le retenir. Toute la salle avait les yeux sur eux. Jean-Jérôme se laissa retomber sur le bout de son banc.

— Vous êtes devenus fous, dit-il, qu'est-ce qui vous prend? Avez-vous assez bu pour croire que j'irais vous dénoncer?

— Si tu es avec nous, tu restes, fit le petit Blaise, qui n'avait pas l'habitude de parler.

— Je n'avais pas l'intention de me sauver, renchérit Jean-Jérôme, mais on peut quand même avoir envie de pisser.

Les autres le regardèrent avec suspicion.

— Vous ne voulez tout de même pas que je le fasse ici, sur le plancher, devant tout le monde!

Ils ne poussèrent pas l'audace jusqu'à désigner quelqu'un pour l'accompagner dans la cour. Ils le regrettèrent. Comme il tardait à revenir, ils sortirent à sa rencontre. Jean-Jérôme n'était plus là.

Un chien aboyait. Jean-Jérôme essayait de trouver son chemin dans la nuit. Il avait voyagé de toutes les façons possibles depuis qu'il était parti de Sorel, sur une pile de sacs, sur un tas de foin et à pied aux côtés d'un grand vieux qui ne disait rien. On aurait dit que personne ne dormait en août au Canada. En beaucoup d'endroits, il y avait des lanternes dans la cour. Des va-et-vient, des mains affairées et de grands chevaux étonnés qu'on tirait des écuries et qui tendaient le cou vers le noir. Il y avait un peu d'humidité dans l'air mais la journée avait été lourde et on ne se plaignait pas de la fraîche. En passant d'une voiture à l'autre, Jean-Jérôme était arrivé à proximité de Nicolet.

La route de sable suivait la crête d'un côteau. S'il était allé jusqu'au bout, Jean-Jérôme serait arrivé au bac du père Duval. Il y avait là un chemin qui continuait, mais la route, la vraie, passait l'eau. En face, c'était Nicolet, une petite ville aux ambitions démesurées. Une église sans clocher, d'abord. On avait à peine eu le temps de le bâtir qu'il s'était effondré. On ne l'avait pas remplacé. Un vieux collège en ruines qu'on avait subdivisé en logements, avec des poules et quelques vaches dans la cour, mais le nouveau se dressait derrière un bosquet de pins. Et c'était une promesse. Les fils des cultivateurs des environs y apprenaient le latin. Un édifice impressionnant, un corps central et deux ailes sous de hautes toitures de tôle. Il y avait plus de pierres sur ses murs que sur toutes les maisons de Nicolet. Le collège était un grand vapeur dans la nuit, la ville une flottille de barques et, tout autour, dans la campagne proche, les fermes dérivaient comme des radeaux sur les aires de terre battue.

Jean-Jérôme avait quitté la route un peu avant Nicolet. Il marchait sur un sentier que la forêt ouvrait à peine à travers la nuit. Il s'était mis à pleuvoir et le vent secouait les branches des arbres. Jean-Jérôme était penché en avant, une main sur son chapeau. Plus il approchait, plus le chien aboyait. Il franchit la passerelle branlante que son père avait jetée sur le ruisseau, il y avait plusieurs années maintenant. Il était sur l'île Lozeau. Il n'y avait qu'une seule maison sur l'île, sur l'autre versant, du côté de la rivière Nicolet, et c'était là qu'il allait.

— Ti-loup! cria-t-il.

Le chien fit comme s'il ne l'avait pas reconnu. Jean-Jérôme arrivait d'en arrière. Il déboucha sur les champs où sa marche devint plus facile. Il suivit la levée d'un fossé qui le mena derrière l'étable. Le chien était enchaîné à la véranda grillagée derrière la maison. Il faisait un boucan de tous les tonnerres.

— C'est moi, Jean-Jérôme, tu ne me reconnais pas?

Le chien se calma un peu. La lumière se fit dans une chambre de l'étage. Une ombre passa devant la fenêtre. Jean-Jérôme leva la tête. Il pleuvait franchement. La pluie l'aveuglait.

— C'est moi.

Il pénétra sous la véranda. Une lampe creva l'ombre de la cuisine. Les verrous glissèrent.

Jean-Jérôme se retrouva devant sa mère, trempé jusqu'aux os.

— T'as pas choisi le bon temps pour te promener, mon grand.

— Le temps fait toujours le contraire de ce qu'on voudrait.

— Mais ne reste pas là.

Jean-Jérôme s'essuyait les pieds sur le tapis tressé.

— Tu dégouttes comme un érable, dit la mère, je vais te chercher ce qu'il faut.

Elle s'en fut avec la lampe.

— Tu n'as plus peur du noir à ton âge? demanda-t-elle en franchissant la porte.

— Ça commence à passer, répondit Jean-Jérôme, un sourire dans la voix.

Elle revint avec des serviettes et du linge. Le grand Jean-Jérôme se sécha et se changea devant la table.

— Tu veux du café?

— C'est pas de refus, répondit-il.

Sa mère poursuivit la conversation tout en ranimant le feu pour faire chauffer l'eau.

— Toi, je te connais, ce n'est pas pour me dire«bonsoir» que tu m'arrives comme ça en pleine nuit.

— Le père...dit Jean-Jérôme.

— Qu'est-ce qu'il a encore fait?

Jean-Jérôme expliqua ce qui s'était passé sur le radeau. Il regrettait de s'être laissé entraîner dans cette aventure. Il conclut en disant que rien ni personne ne le forcerait plus à quitter l'île Lozeau.

Emilie s'inquétait:

— Que voulez-vous qu'on y fasse? demanda Jean-Jérôme.

— Tenter de le ramener à la raison.

— Croyez-vous que je n'ai pas essayé?

La mère de Jean-Jérôme déposa un bol de café devant son fils.

— Avale-ça en vitesse, dit-elle, on s'en va.

Jean-Jérôme leva sur elle des yeux résignés.

— Si vous croyez que c'est vraiment nécessaire...

Les coalisés de l'hôtel des Trois-Sabots étaient furieux. En plus de les abandonner lâchement, Jean-Jérôme était parti sans payer les verres de rhum qu'on avait bus à sa santé et, maintenant que la grosse Hélène tendait la main, il fallait fouiller profond pour trouver de quoi la lui remplir. Tout en pratiquant le même métier, ces hommes n'étaient pas de fortune égale. On savait notamment qu'il n'y avait pas grand-chose à tirer d'Émile. Le petit Blaise donnait tout son argent à son père; le vieux le remettait à sa femme. À eux deux, ils avaient à peine de quoi s'acheter du tabac. Restaient les Irlandais. Shoon n'était pas leur chef pour rien. Ce fut lui qui régla. On se tourna spontanément vers lui pour voir ce qu'il comptait faire, mais il ne dit rien.

Ils étaient sortis de l'hôtel et la rue était en pente. Ils montaient vers la ville, le cou dans les épaules à cause du vent et des grains de pluie, le sac de marin ou le balluchon au poing. Un troupeau qui a brisé une barrière et qui cherche bêtement de quoi brouter sur le chemin.

— Je donnerais ma main pour me retrouver dans mon lit aux côtés de ma Virginie, dit Émile.

La Virginie en question n'aurait jamais ouvert les bras à un homme qui aurait déserté son radeau et qui reviendrait les mains vides à la maison. Deux longs mois pour rien! Deux précieux mois pour préparer l'hiver qui venait! Deux mois des six qu'on avait devant soi pour gagner de quoi passer les six autres! «Entre, mets tes gages sur la table, lave-toi de fond en comble et là, seulement, je serai ta Virginie adorée!»

La rue montait. En haut, c'était la ville, une rangée d'édifices de briques avec des magasins au rez-de-chaussée, des réverbères allumés, des trottoirs de bois et des portes, des centaines et peut-être des milliers de portes, fermées, verrouillées, cadenassées. Pour entrer où c'était ouvert, il fallait pouvoir payer.

— Je me demande où ils sont à présent, dit le vieux Blaise.

Il se mangeait les moustaches qu'il avait blanches.

— Tais-toi donc, idiot! répondit Émile.

— J'ai pour mon dire qu'ils sont pas rendus très loin, insista le vieux Blaise.

— Tu voudrais peut-être aller les retrouver? fit Shoon.

Le vieux Blaise y songeait encore.

— Où voulez-vous qu'on aille? dit-il.

— N'importe où, mais pas sur le radeau, trancha Shoon qui marchait devant eux. Le patron, vous le connaissez aussi bien que moi, que pensez-vous qu'il ferait en nous voyant arriver?

— Il prendrait son fusil pour nous tirer dessus, répondit Baker.

— Oui, renchérit un des Irlandais qui ne parlait habituellement pas, il a perdu la raison.

Les verres de rhum qu'ils avaient bus depuis le souper n'étaient pas étrangers à leur façon de juger la situation. Chacun en avait avalé autant que son voisin. Personne n'était en mesure de départager l'exagération de la simple vérité. Et qui connaît la vérité, rhum ou pas?

— Moi, dit Shoon, je sais deux choses, en tout cas. La première, c'est que, par un temps pareil, il s'est arrêté. Il est quelque part dans les îles.

— La seconde?

— C'est qu'il ne faut pas retourner sur le radeau.

— Mais nos gages?

— Oui, tout le temps qu'on a donné, ça devait nous être payé à Québec.

— On était presque arrivés.

— Deux mois à l'eau!

— Si c'est pas lui, c'est ma femme qui me tuera.

Ils étaient au beau milieu de la rue principale. Le sable mouillé leur collait aux pieds. La pluie leur coulait dans le cou. Les rares passants s'en allaient à leurs affaires sans les voir.

— Entendons-nous bien, précisa Shoon. Quand je dis qu'il ne faut pas retourner sur le radeau, je veux dire qu'il ne faut pas y aller les mains vides.

C'était plein de sous-entendus. Chacun se débattait en lui-même avec des images effrayantes. Des fusils pointés et des «Tu payes ou on te crève la peau». Ce genre d'attitude ne pouvait mener qu'à la catastrophe. D'abord, Jean-Jérôme devait être allé trouver son père pour lui rapporter leurs propos. À l'heure présente, le radeau était sans doute un camp fortifié. On ne saurait en approcher sans dommage. Ensuite, il n'était pas certain, le contraire était plutôt probable, que Tim Bellerose ait de quoi les payer. Il fallait d'abord que le marchand de Québec ouvre sa bourse pour que le patron puisse se montrer généreux à son tour. Advenant qu'on parvienne à le convaincre de l'être. Pour une des rares fois, l'idée de Shoon n'était pas la bonne. Ils étaient coincés. Pas question de retourner sur le radeau, encore moins de s'en aller tranquillement chez soi, et Sorel n'avait rien à leur offrir non plus. Shoon s'entêtait pourtant.

— Damn it! on ne peut tout de même pas le laisser partir sans rien tenter.

— Et on ne peut pas y aller nous-mêmes, enchaîna le vieux Blaise. Alors, il faut que quelqu'un le fasse à notre place.

L'idée du vieux Blaise était loin d'être bête. Mais qui?

— Je connais quelqu'un, annonça-t-il.

— Parle donc, vieux bouc! Qui c'est?

— Élie Cournoyer.

Ceux qui connaissaient le pêcheur d'anguilles de Notre-Dame-de-Pierreville se laissèrent gagner par un sourire. Les autres tendirent le cou.

— Oui, renchérit le vieux Blaise, Élie Cournoyer...

Shoon ne savait pas de qui il s'agissait. Les autres Irlandais non plus. Baker avait entendu dire des choses au sujet de ce Cournoyer qu'il n'avait pas envie de répéter. Mais le vieux Blaise tenait à son idée. Il s'enflammait.

— Il faut aller le trouver tout de suite.

— Qu'est-ce que c'est, ton Cournoyer, demanda Shoon, le pape?

— Quelqu'un que Tim Bellerose écoutera.

— Qu'est-ce que tu en sais?

— Le patron lui doit quelque chose.

— Qu'est-ce que ça change?

— Ça commande le respect.

— Admettons, dit Shoon, mais qu'est-ce qui me dit que ton Messie voudra se mêler de notre affaire? Tu en connais beaucoup, toi, des gens qui aiment se mettre les doigts entre l'arbre et l'écorce?

— Il le fera.

— Oui, dit le petit Blaise, Élie Cournoyer, c'est notre homme.

Émile avait aussi l'air d'être de cet avis.

— Il faut y aller tout de suite, insista le vieux Blaise. Les pêcheurs d'anguilles partent avant le jour. Le radeau doit être quelque part dans le chenal de l'île Lapierre. Je le connais le patron, il va couper au plus court sur le lac. Ça l'amènera à longer la rive sud. C'est là que les gens de Notre-Dame ont leurs pêches. On l'attendra et quand il arrivera, on enverra Élie Cournoyer en avant. C'est bien le diable si cet homme-là ne réussit pas à faire entendre raison au patron. On mettra le radeau à l'abri à l'entrée du chenal Tardif et on attendra un jour ou deux que les autres soient passés. Après, on aura la voie libre jusqu'à Québec. On sera payés. On rentrera chacun chez soi et je veux être pendu si jamais je remets les pieds sur le même radeau que Tim Bellerose.

C'était de loin la solution la plus avantageuse qui ait été proposée de toute la soirée. Shoon hésitait encore. Il voulait en savoir davantage sur cet homme qui avait un tel ascendant sur Tim Bellerose.

— Entre eux, c'est à la vie et à la mort, expliqua le vieux Blaise.

Ils se dirigèrent vers les quais où ils avaient laissé leur barque.

— Damn you! gronda Shoon à l'endroit du vieux Blaise.

Et il releva le col de son manteau mouillé. Ce n'était pas une nuit pour naviguer. Le vent faisait tout ce qu'il pouvait pour chavirer la barque. Les hommes étaient assis du côté opposé à celui où la voile s'ouvrait et les vagues, tapant sur la coque, soulevaient des embruns qui les éclaboussaient dans le dos. De quoi maudire ses père et mère.

Le vieux Blaise était à la barre. Il avait choisi la position la plus confortable.

— Tu es sûr, au moins, insista Shoon, que ton Cournoyer fera ce qu'on lui demandera? Parce que si tu nous mènes à Notre-Dame-de-Pierreville pour rien...

Le vieux Blaise jubilait. Il n'avait pas l'habitude d'en savoir plus que les autres; cela lui donnait de l'importance.

— Puisque je vous dis! Faites-moi confiance, bande de Thomas!

— Tu nous dis rien, justement, fit remarquer un Irlandais taciturne.

— Oui, renchérit Baker, qu'est-ce que c'est que cette affaire entre Bellerose et Cournoyer?

— Une affaire de coeur, lâcha le vieux Blaise. La fille de Cournoyer, Nastasie. C'était dans le temps que vous étiez encore en Irlande à vous nourrir de patates pourries.

Shoon avait cessé depuis longtemps de répondre à de pareilles bêtises: un mangeur de pommes de terre valait bien deux rongeurs d'épis de maïs. Le vieux Blaise était au comble de l'excitation. Il tenait la barre à deux mains, légèrement penché de côté, la barbe fleurie.

— Tout un été, poursuivit-il, ah! les nuits de juillet. Il s'en est vidé des cruchons.

— La vie avec ton père, dit la mère de Jean-Jérôme, ça n'a pas toujours été facile.

Ils allaient tous les deux, Jean-Jérôme et Émilie, sur la voiture à bancs. Ce n'était pas le véhicule indiqué pour voyager par une nuit pareille, mais le père Mailhot ne pouvait pas prévoir deux jours plus tôt, en retirant une des roues du cabriolet pour la faire cercler de neuf, qu'on en aurait besoin en pleine nuit. Jean-Jérôme avait été contraint d'atteler la jument grise à la voiture plate dont on se servait pour transporter les sacs de grains. On y était en plein air. Il pleuvait et il ventait. La mère, silhouette de jeune fille un peu boulotte, se pressait contre son fils. Elle avait mis sa capeline, mais elle ne se privait pas pour autant d'appuyer la tête contre l'épaule de son fils en écrasant le rebord de sa coiffure. Les pas de la jument donnaient un rythme à sa pensée. Émilie poursuivit:

— C'est grand un homme qui peut dire qu'il n'a pas peur. Je n'aurais pas pu vivre avec quelqu'un qui a peur.

— C'est vous, sa force.

Jean-Jérôme se tourna vers sa mère dans la nuit. Elle avait les deux mains sur son bras.

— Une femme comme vous, poursuivit-il, c'est une fleur dans un champ de blé. Personne ne la voit et quand le temps est venu, on la coupe comme tout le reste, sans faire attention. Et personne ne s'étonne que la fleur repousse la saison d'ensuite.

Émilie ne répondit pas.

— Des femmes comme vous, dit encore Jean-Jérôme, s'il y en avait plus, on marcherait la tête haute.

— Des femmes comme moi, murmura Émilie, ça ne sait pas quand il faut s'arrêter.

Ils ne pouvaient se voir dans le noir et pourtant, Émilie regardait son fils droit dans les yeux. Elle était tournée vers lui et elle avait toujours les deux mains sur son bras. C'était, chez elle, un geste d'une extrême tendresse. La voiture sautait sur la méchante route qui serpente entre Nicolet et Sorel. Le vent essayait d'arracher la capeline d'Émilie. Jean-Jérôme faisait semblant de mener le cheval. Ils se donnaient l'air d'être contrariés par la situation mais ils étaient au paradis tous les deux.

Deux heures et demie plus tard, Jean-Jérôme et sa mère avaient fini de boire leur café dans la cuisine de l'hôtel des Trois-Sabots à Sorel. Le patron les observait en ayant l'air de se demander ce qu'ils comptaient faire. Émilie ne souhaitait pas déballer ses petits secrets devant cet étranger. Elle paya et entraîna Jean-Jérôme dans la rue. La nuit était moite.

— Qu'est-ce que c'est que ce traquenard? demanda-t-elle.

— Si je le savais, je vous le dirais, répondit Jean-Jérôme.

Émilie prit son fils par le bras et elle se mit à marcher à petits pas vers le haut de la ville. Le cheval et la voiture étaient restés dans la cour de l'hôtel.

— Où est-il, ton père?

— Quand je l'ai laissé, au couchant, le radeau passait devant Sorel.

— Ils se sont arrêtés, oui ou non?

— Je crois bien qu'ils ont continué.

— Alors, qu'est-ce qu'on fait ici?

— On cherche à retrouver ceux qui sont débarqués.

— Tu vois bien qu'ils ne t'ont pas attendu.

— C'est ce qui m'inquiète.

— Laisse-les courir.

— Ils sont capables de se soulever contre lui.

— Ils ont donc si peur?

— Au point de quitter le radeau sans attendre d'avoir touché leurs gages.

— On s'occupera d'eux plus tard. Il navigue la nuit, ton père?

— Habituellement pas.

— Alors il ne peut pas être très loin. Si on avait une barque...

— Celle du radeau est au quai.

Ils hésitèrent un moment: retourner prendre la voiture à l'hôtel ou descendre à pied la rue qui menait au petit port. Ils convinrent que le cheval serait plus en sûreté dans la cour de l'hôtel, même si on n'avait prévenu personne de sa présence, plutôt que sur les quais. Le temps de quelques réflexions et ils y arrivèrent. La barque n'était plus là. Jean-Jérôme se convainquit tout de suite du pire: son père était entre deux feux, les conjurés et ceux de l'autre radeau. Ce fut Émilie qui prit la situation en mains.

— Si ce que tu dis est vrai, je ne vois pas ce qu'une petite bonne femme de mon espèce pourrait y changer. Il nous faudrait de l'aide. Tu sais où en trouver?

— Pas vraiment.

— Moi, si.

Le temps de le dire et ils se retrouvèrent sur la route qu'ils venaient de parcourir. Décontenancé, le cheval renâclait. Émilie venait d'annoncer qu'ils se rendaient chez Cournoyer, à Notre-Dame-de-Pierreville.

Le village de Notre-Dame-de-Pierreville ne dormait jamais, même en pleine nuit; pendant la belle saison, il se trouvait toujours quelqu'un pour goudronner, à la lueur d'une torche, la coque d'une barque qui avait râclé des hauts-fonds ou pour peler des anguilles, sous un abri de planches, dans un embrasement de papillons blancs. Il y avait toujours, au creux de quelque cuisine,une grosse femme à moustache qui présidait à quelque ébullition, sans compter que les nuits de pleine lune, chacun vaquait à ses affaires comme en plein jour. On vivait pour un an pendant les six mois de la belle saison.

Les mutins du radeau de Tim, le vieux Blaise à la barre de la barque à voile brune, étaient entrés dans le chenal Tardif. Les cinq Irlandais, le vieux Blaise et son fils, Émile aussi, le dos courbé sous le mauvais temps, faisaient une ultime tentative pour récupérer leurs gages.

Il pouvait être trois heures du matin. Cournoyer était dans ses hangars. L'arrivée inopinée de huit hommes trempés jusqu'aux os ne sembla pas le troubler le moins du monde. Il les examina tranquillement, l'alène à repriser les filets à la main, et finit par reconnaître les Blaise, père et fils.

— Tim Bellerose, vous le connaissez? commença Shoon.

— Qu'est-ce qu'il a encore fait? demanda Cournoyer.

— Je crois bien qu'il a perdu la raison, répondit Shoon.

Cournoyer repoussa le filet sur la table, devant lui.

— Donnez-vous donc la peine d'entrer, dit-il.

Il se mena un furieux combat d'ombres dans la cuisine chez Cournoyer. La nuit, le vent, les petits verres avalés d'un trait à l'hôtel des Trois-Sabots, d'autres petits verres d'un alcool particulièrement fort — c'était celui de Cournoyer — la privation de sommeil, les gestes lents et ronds, les longues phrases qui se nouent et surtout, la menace qui planait sur le lac Saint-Pierre, tout engourdissait les conjurés.

Cournoyer avait ses grandes mains sur les genoux; il avait annoncé, après les avoir entendus, qu'on se porterait à la rencontre de Tim Bellerose à la barre du jour. Il y avait encore quelques heures de nuit à filer avant l'aube; il ne restait plus aux conjurés qu'à tisonner leur colère contre celui qui était la cause de tout ce branle-bas. À les entendre, cet homme n'avait jamais rien fait qui vaille et il ne fallait pas s'attendre à ce que leur intervention lui profite de quelque façon. Un misérable qui n'avait pas les moyens de son ambition. Un plus démuni qu'eux, et qui jouait les grands seigneurs.

Cournoyer commença par frotter ses pieds nus sur le plancher, puis il mit sa chaise sur ses deux pattes de derrière, marquant une distance par rapport à ce qu'ils disaient, avant de s'opposer franchement à eux. Sa femme le connaissait bien. Elle craignait qu'il ne se tourne contre eux. Elle s'avança, sa bouilloire à la main.

— Il y en a, dit-elle, qui n'ont pas les idées bien claires, ici dedans. Qui veut du thé?

Elle sauva la situation avec son eau chaude. Le temps d'avaler le liquide bouillant et de rallumer des pipes qui n'avaient pas dérougi de la nuit, et les hommes avaient glissé dans le sommeil, les coudes sur la table.

Aux petites heures du matin, on entendit des coups à la porte. Sans bouger de sa place, Cournoyer dit qu'on pouvait entrer. Une petite bonne femme crottée par la route et le grand Jean-Jérôme s'avancèrent. Le temps de quelques phrases et chacun avait compris qu'on était là pour les mêmes raisons.

— Qu'est-ce que vous attendez, demanda Émilie, que Dieu le père lui-même vienne vous donner le signal du départ?

L'instant d'après, deux barques quittaient le quai de Cournoyer.

Les premières lueurs de l'aube révélèrent que le vent retroussait les feuilles des petits saules. L'eau du chenal moutonnait. On avait besogné toute la nuit pour tirer le radeau de son échouage et maintenant le patron entendait le lancer sur le lac Saint-Pierre par un temps pareil. C'était folie. Personne pour le dire à voix haute cependant: Bosse était trop petit, Joseph trop bête, Maurice n'avait pas le regard franc, Antoine les oreilles trop grandes. Jérémie peut-être; la veille, pourtant, n'avait-il pas annoncé à son père que les radeaux, c'était fini pour lui?

— Serrez les noeuds, doublez-les!

Les hommes serraient de toutes leurs forces en levant sur Tim des yeux inquiets. Les cageux des deux Canadas unis avaient appris depuis longtemps qu'il ne fallait pas utiliser des câbles de chanvre sur les radeaux; ils ne résistaient pas à la friction. C'était avec des lianes de fibres de bois tressées qu'on assemblait les cages. Mais la veille, dans son empressement à détacher les sections les unes des autres pour les remettre à flot, Tim avait tranché les lianes à grands coups de hache.

On en était réduit à rassembler les sections à l'aide de câbles de chanvre. C'était risqué, mais comment faire autrement? Les hommes n'avaient à peu près pas dormi de la nuit. La vague soulevait les sections du radeau et les projetait les unes contre les autres. Il fallait se garder de se laisser coincer le bras ou la main entre deux poutres. Tim leur poussait dans le dos.

— Donne, incapable!

Les hommes regardaient le patron nouer à la hâte un bout de câble qui, visiblement, ne tiendrait pas longtemps. L'opération terminée, Tim convoqua tout son monde sous l'abri de cuisine. Le nain avait ranimé le feu dans le bac à sable et il tenait du thé chaud à leur disposition. Les hommes mettaient leurs deux mains autour de leur bol d'étain pour se dégourdir les doigts. Le thé fumait, le paysage tout entier aussi d'ailleurs.

— L'heure a sonné, dit Tim, vous savez ce que vous avez à faire.

Il les regarda un à un, maigre troupeau mangé de fatigue, puis il donna le signal du départ. Bosse lui courut entre les jambes.

— On ne peut pas partir comme ça, patron.

— Et pourquoi donc?

— Le chat est resté à terre.

Tim écarta le nain et il s'en alla à l'arrière tenir à deux mains la lourde barre du radeau. Ses hommes gagnèrent un à un leurs positions. Leurs gestes se refusaient cependant.

— Le vent, risqua Joseph, le courant! Comment faire pour retourner dans le grand chenal?

— Il n'est pas question de ça. On fonce droit devant, dans le chenal des Barques.

— Et les barrages?

— On les sautera.

À la même heure, de l'autre côté de l'île des Barques, l'équipage d'un autre radeau achevait de manger des oeufs et du lard. Celui qui le commandait, Conrad Gervais, n'avait pas l'intention de perdre son temps à pourchasser Tim Bellerose, mais il n'était pas disposé non plus à se laisser intimider. Il décida qu'il serait avisé de se mettre en marche et d'aller poster son radeau sur les battures à la Carpe, à l'entrée du lac Saint-Pierre, en attendant que le vent faiblisse. Il donna tranquillement des directives en ce sens.

Pendant ce temps, deux barques suivaient le cours du chenal Tardif, qui est un long cordon ombilical entre le village de Notre-Dame-de-Pierreville et le lac Saint-Pierre. La plus petite, avec Cournoyer, Émilie et Jean-Jérôme à son bord, allait devant. La seconde aurait normalement dû se trouver sur le radeau de Tim Bellerose, dont elle était la chaloupe de sauvetage. Les deux embarcations se suivaient de très près. Le vent était du nord et retroussait par moments l'eau grise du chenal Tardif. Il ne fallait pas douter que le lac Saint-Pierre serait agité.

Maintenant que le jour s'était fait et qu'on avait compris qu'on ne devait en attendre aucune faveur, Tim s'entêtait à ne pas revenir en arrière et à poursuivre sa course dans le chenal des Barques. Il s'y trouve deux barrages successifs. Le premier ébranla la cage; le second acheva de la désarticuler. Les câbles de chanvre que Tim avait fait placer pour remplacer les fibres de bois qu'il avait lui-mêmes tranchées la veille avaient joué dans leurs trous. Les sections qui composaient le radeau ne formaient plus un ensemble homogène.

Le vent du nord s'intensifiait. Le lac Saint-Pierre ne le supporte pas. Ce qu'on prend pour une brise, autour des maisons et entre les granges, est une tempête sur le lac Saint-Pierre; quand c'est tempête autour des habitations, c'est fin du monde sur cette mer intérieure.

Le temps n'avait pourtant pas encore atteint le point où plus personne ne lui résiste; il lançait des avertissements et tout navigateur digne de ce nom devait savoir lire ces signes dans la couleur et la forme des nuages. Un certain nombre de personnes levaient les yeux en même temps ce matin-là pour tenter de déchiffrer le destin.

Les deux barques étaient sorties du chenal Tardif et venaient de déboucher sur l'immensité. Le radeau de Tim doubla le dernier banc de sable qui marque la fin des îles de Sorel et entra en pleine lumière. Celui de Gervais avait quitté son mouillage des battures à la Carpe et traversait au sud. Vu de haut, le mouvement de chacun convergeait vers celui des autres.

Tim avait fait venir Jérémie à ses côtés à l'avant. Le jeune homme était tout rond dans son chandail de laine bleue. Une pipe brûlante entre les dents. Les yeux rouges de fatigue mais le regard encore franc.

— Ce ne sera pas facile, dit Tim, mais on y arrivera. Tu es toujours avec moi?

Jérémie observait l'horizon qui fuyait dans une confusion de gris.

— Regardez, s'écria-t-il, vous la reconnaissez cette voile brune? C'est notre barque.

Tim durcit le visage. Ces gens-là ne se feraient pas pardonner en venant marmonner de vagues excuses.

— Il y a une autre barque, poursuivit Jérémie, avec trois personnes dedans.

Tim n'osait imaginer qui elle pouvait transporter.

— Écarte-toi de leur course, cria Tim à l'intention de Joseph qui tenait la barre.

— Là, ceux de Gervais! s'écria Jérémie qui venait d'en apercevoir les voiles rouges à babord.

— Poussez les rames, ordonna Tim.

Les hommes ne savaient plus s'ils devaient obéir. Le vent donnait des coups de poing sur le lac Saint-Pierre comme un homme qui frappe sur une table.

— Serrez la toile.

Chaque pièce du radeau frémissait.

— Patron, cria Maurice, ils reviennent, nos compagnons!

— Ne vous occupez pas d'eux.

— Il faut s'arrêter, les attendre...

— Le premier qui fait un geste pour ralentir ce radeau...

Le vent avait pris la cage par derrière et la poussait à une si grande vitesse qu'une moustache de vagues se dessinait à l'avant. L'eau montait dessus et rendait les pièces glissantes. Tim était toujours là en compagnie de Jérémie. Leurs cheveux roux fous de vent. La parole ample pour se faire entendre dans ce fracas.

— Pourquoi n'arrêtez-vous pas? S'ils se sont donné la peine de venir jusqu'ici, c'est qu'ils veulent remonter avec nous.

— Tu nous a comptés? demanda Tim. Le temps de les attendre et le radeau de Gervais sera à nos côtés. Tu as le goût, toi, d'inviter ces gens-là à prendre le thé?

Jérémie ne pouvait que donner raison à son père mais il était inquiet. L'horizon résonnait sourdement. Les sections du radeau, désarticulées les unes par rapport aux autres par le relâchement des câbles de chanvre qui les unissaient, commençaient à se choquer entre elles. Chaque vague qui frappait le fond du radeau faisait jaillir des gerbes d'eau à leur jonction. Il n'y avait plus rien de sec, ni sous l'abri de cuisine ni dans les cabanes de l'équipage. Une voile cassa son écoute et se mit à battre l'air, à tribord. La cage poussa un cri d'effroi.

Les jambes bien écartées, le bras passé autour d'un mât, Tim et Jérémie prenaient les embruns en plein visage. Derrière, à babord, le radeau de Gervais se rapprochait lentement; à tribord, la barque des conjurés et une autre dans laquelle Tim avait fini par reconnaître sa femme, son autre fils et son ami Cournoyer. Le vent, les secousses, la fatigue de la nuit et des jours passés, Tim ne savait plus s'il devait accorder foi à ce qu'il voyait. Tous ceux qu'il aimait et qu'il détestait étaient à ses trousses.

Il alla chercher sa corne de brume dans son coffre. L'instrument était pourvu d'un anneau en forme d'oméga auquel était attachée une corde que Tim se passa au cou. Il souffla dedans. Le vent s'enfla de rage.

Il devenait évident qu'à ce rythme, le radeau ne serait jamais rejoint ni par celui de Gervais ni par les deux barques qu'on voyait danser sur la crête des vagues.

— Regarde, Jérémie, personne pour nous arrêter...

Le lac Saint-Pierre s'ouvrait devant eux, les vagues aiguës, l'une derrière l'autre comme des dents. Jérémie savait très bien qu'il n'était plus possible de revenir en arrière.

On ne voyait plus les barques. Elles devaient avoir fait demi-tour. Le radeau de Gervais semblait prendre aussi la direction du chenal Tardif.

— Tu vois, Jérémie, les lâches sont toujours les mêmes...

Le radeau de Tim bondit. Un fracas comme s'il avait heurté des rochers; ce n'étaient que les vagues qui le soulevaient. Un mur noir se dressait devant. La tempête. On ne pouvait savoir, à cause de l'immensité du lac et de la disproportion des éléments, si elle était encore loin ou toute proche. Elle s'abattit.

Il était maintenant inutile de tenter de diriger la cage. Joseph, Antoine, Maurice et Bosse s'étaient rassemblés au centre du radeau. Tim et Jérémie seuls à l'avant. Personne n'avait plus d'autre occupation que de se tenir sur le bois mouillé pour ne pas être emporté par les vagues qui déferlaient maintenant sur le ponton. Les billes qui formaient le plancher de chaque section se mirent à surgir en l'air, dressées et empilées pêle-mêle. Le bois sautait par-dessus les pièces du pourtour et s'en allait à chaque vague. À ce rythme, le radeau ne serait bientôt plus que des morceaux épars.

Joseph, Antoine, Maurice et le nain avaient commencé à détacher une section à grands coups de hache. Ils n'avaient plus qu'un seul espoir: constituer un petit radeau, s'y coucher de tout leur long et se laisser porter par la tempête. Ils étaient sur le point d'y parvenir quand Bosse fut enlevé par une vague. Ses compagnons le regardaient se débattre dans l'eau, mais n'osaient rien tenter pour le secourir. Jérémie, qui venait de constater le drame, sauta sans hésiter. Au même moment, les autres étaient parvenus à détacher leur section. Elle dériva providentiellement du côté où Bosse et Jérémie se débattaient contre des vagues qui cherchaient à les engloutir. On les recueillit, muets de détresse et les hommes s'enfoncèrent les ongles dans le bois mouillé qui fut emporté lentement vers les joncs de la Longue-Pointe.

Resté seul sur le radeau, Tim s'était emparé d'une hache. Il n'y avait plus ni ciel ni mer, rien que la froide indifférence des éléments déchaînés.

Tim était seul. Le monde se défaisait autour de lui. Le bois fuyait. Les poutres se dressaient et s'abattaient pour en soulever d'autres. Tim était toujours accroché à son mât. La voile avait été emportée. Un lambeau claquait au-dessus de sa tête. La poutre qui supportait le mât bascula. Tim était empêtré dans les cordages de la voile. Il plongea. L'air rouge dans sa poitrine. Refit surface. Un câble lui tenait la jambe et le bras. La hache toujours à la main, il se mit à en donner de grands coups pour se dégager. Une vague se rua sur lui.

Il se fit un grand silence dans sa tête. La tempête ne le touchait plus. Il était hors du temps. De sa main libre, il emboucha sa corne de brume. Son souffle se noya sous l'eau qui le recouvrit entièrement.

ÉPILOGUE

«Face à la montagne devant laquelle, jusqu'à la grande rivière, là-bas, claquaient les étendards de l'automne, il se mit à jurer qu'on ne lui fermerait pas ce domaine, que, dût-il y laisser ses os, il irait en chasser les intrus.»

F.-A. Savard,
Menaud maître-draveur

Une cinquantaine d'années après la mort de Tim Bellerose, un autre Bellerose, Bruno celui-là, un garçon de seize ans, se leva avant le jour. Le lit, le coffre et la chaise dormaient encore. La fenêtre montrait les dents. Six heures en janvier, au Port-Saint-François, sur les rives de glace du fleuve Saint-Laurent, au Canada de 1937.

Bruno grelottait. Il sautait sur place, un pied sur le plancher, l'autre en l'air, pour enfiler ses culottes d'étoffe rugueuse qu'il noua sur ses sous-vêtements longs. Il mit ses chaussettes de laine grise, ses bottines de feutre et sa chemise sur laquelle il remonta ses bretelles. Son casque à oreillettes de poil de lapin était accroché à un des poteaux de fer du pied du lit. Il se l'enfonça sur la tête, les oreillettes pendantes.

Bruno descendit l'étroit escalier craquant. Sa mère était déjà à la cuisine, les mains dans son tablier. Ils se regardèrent sans rien dire, puis Bruno alla s'asseoir au bout de la table à la place du père. La grosse horloge battait sur le mur sombre. Bruno grattait le bois de la table avec son ongle. Sa mère attendait que l'eau ait commencé à bouillir dans la casserole.

— C'est aujourd'hui que tu y vas? demanda-t-elle.

Bruno ne répondit pas.

— Il faudra bien s'y résigner, dit encore la mère.

Bruno n'avait pas l'air d'entendre.

— Si tu te décides pas, ajouta-t-elle, j'attelle et j'y vais moi-même.

Bruno grattait toujours le bois de la table avec son ongle. De temps en temps, il jetait un coup d'oeil à la fenêtre. Le jour refusait de se faire.

— Si tu penses que c'est une vie, enchaîna la mère, ton père qui n'a rien dit pendant trente ans et toi maintenant, pas mieux que lui, jamais un mot, pas même pour dire merci.

La suite fut une affaire d'eau qui passe dans une cafetière de tôle émaillée bleue, de café bouillant bu par petites gorgées en aspirant autant d'air que de liquide et de tasse vide posée d'un geste sec sur la table. Bruno sortit.

Les fenêtres avaient menti, c'était un matin mou. Décembre en janvier: on avait une lune de retard.

Bruno fit quelques pas sur l'aire de neige tassée qui s'ouvrait devant la porte. Il enfonçait. La neige coula dans ses bottines. Bruno leva les yeux sur les arbres de la rive. La nuit les avait chargés de givre et le ciel pesait sur la terre.

Alors, Bruno prit une hache qui était posée sur une pile de bois à portée de sa main et il la jeta de toutes ses forces en direction du fleuve. La hache se noya dans la neige. Bruno était resté le bras en l'air; il se retourna et se mit à lancer du bois autour de lui à grands gestes de moulin. Sa mère était à la fenêtre, une main pour écarter le rideau, l'autre sur son châle. Et le matin ne se faisait toujours pas.

Bruno regarda en arrière. La fumée coulait de la cheminée. Devant, la terre entière étouffait sous deux mètres de neige. Il se mit à marcher sur la trace jaunie de purin qui menait à l'étable. Il ouvrit la porte d'un coup de pied. Le souffle se jeta sur lui. Dix vaches, trente moutons, deux chevaux, une truie et une cinquantaine de poules. Des bêtes condamnées à six mois de noir dans leurs excréments. Les animaux tournèrent lentement la tête. Ils suppliaient avec leurs yeux éteints. De l'eau fraîche et de la paille. Bruno tendit le bras à droite et sa main se referma sur le manche d'une fourche dont une des trois dents était cassée, mais il rejeta aussitôt l'instrument à ses pieds et il sortit, laissant les bêtes à leur stupeur.

La mère n'eut que le temps de reprendre sa faction devant le poêle avant de voir entrer son fils.

— T'es pas resté bien longtemps à l'étable, fit-elle remarquer, es-tu sûr d'avoir fini?

— Fini? Vous avez pas encore compris que c'est bel et bien fini?

— Parle pas comme ça, Bruno, faut jamais désespérer.

— Le père, il a tout laissé s'en aller à la dérive.

— Ton père se mourait qu'il travaillait encore.

Les bottines de feutre de Bruno martelaient le plancher de la cuisine, l'horloge claquait des dents et le feu pétassait dans le poêle comme pour exciter la colère du jeune homme. Sa mère se tenait à distance derrière lui, les mains tendues, faisant trois pas à gauche, trois pas à droite, en suivant les mouvements de son fils comme un chien de berger qui se tient prêt à intervenir.

— Et les autres, où c'est qu'ils sont les autres? insista-t-il.

Il ouvrit tour à tour d'un geste vif la boîte à bois et l'armoire à balais.

— Hein? où c'est qu'ils sont mes frères et soeurs? Ah! ils sont partis se chauffer le derrière dans les collèges et les couvents! Ça leur donne le privilège de m'abandonner à mon sort.

La mère avait toujours les mains tendues vers son fils mais elle restait de l'autre côté de la table.

Bruno affronta son regard.

— Vous changez pas d'idée?

La mère baissa la tête. Alors, le jeune homme grimpa quatre à quatre l'escalier qui menait aux chambres. On entendit geindre les meubles et les coups sourds des bottines qui s'arc-boutaient sur le plancher puis Bruno apparut, tirant un coffre à lourdes ferrures qui se mit à bondir d'une marche à l'autre au rythme de ses pas. Il descendait l'escalier comme s'il n'y avait rien eu derrière lui. Deux autres coffres, une armoire, deux lits et quatre chaises. La cuisine était pleine. Les matelas de plumes prenaient toute la place. Bruno les jeta dehors, sur l'aire de neige jaunie. Sa mère se désespérait.

— Prends garde de les abîmer, si tu veux qu'on t'en donne un bon prix.

— Vous croyez qu'il se trouvera quelqu'un pour vouloir coucher dans les poux des autres?

Bruno sortit tous les meubles qu'il avait déplacés, puis il se mit en frais de vider le salon. Il y avait là des objets qu'on ne voyait presque jamais et qui prenaient l'allure de trésors une fois dehors, une petite chaise de rotin peinte en brun avec des touches de blanc pour imiter les noeuds du bois, un secrétaire ventru bourré de papiers de famille et le canapé de velours vert fort élimé sur lequel plus d'un enfant s'était amusé à bondir en cachette. La maison était vide, à l'exception de la cuisine, de la chambre de la mère et de celle de Bruno. Celui-ci allait s'en prendre à l'horloge quand sa mère posa sa main sur son bras.

— Arrête, Bruno, tu sais plus ce que tu fais.

Bruno se dégagea et contourna sa mère pour aller déposer l'horloge sur un coffre, dehors. En rentrant, il se trouva face à face avec le canard de bois qui trônait depuis toujours sur une tablette au mur. Bruno le prit par le cou et le lança par la porte ouverte mais sa mère courut le ramasser en se lamentant.

— Mon Dieu! ayez pitié de nous!

Elle pressait le canard sur sa poitrine comme un enfant.

— Ton père te l'a donné avant de mourir.

Bruno se redressa.

— C'est pas tout, il m'a laissé deux vaches malades aussi, des moutons galeux, une fourche cassée, des frères sans-coeur, la tasserie de foin à moitié vide et une mère qui ne sait rien faire d'autre que se lamenter.

— Bruno, pour l'amour de Dieu!

— Parlons-en de l'amour de Dieu!

La mère se signa et ne dit plus rien, réfugiée dans sa peine, cependant que Bruno était allé atteler au traîneau à ridelles un grand cheval étonné d'être tiré de l'étable sans rien avoir eu à manger. Les matelas arrimés sur le dessus de la charge, c'étaient à peu près tous les meubles des Bellerose qui partaient. Bruno s'assit à l'avant sur un coffre et leva son fouet d'aulne mais sa mère accourut pour lui tendre son grand manteau pelucheux et un panier de provisions.

— Tu trouveras l'endroit? Tu sais, le cordonnier, près de la gare...

— Il doit être connu, de ce temps-ci, celui qui achète les hardes des pauvres gens.

Le fouet siffla. Le cheval creusa les reins mais les patins étaient soudés à la neige mouillée. Un autre coup de fouet et le cheval arracha le traîneau qui chercha sa trace entre les arbres sur la rive du fleuve.

Il y avait de l'eau sur la glace. Mauvais présage. Le cheval dansait sur place plutôt que d'avancer. Bruno serra les dents et fouetta. Le traîneau déboucha sur l'immensité du fleuve. Tout était gris, le ciel, la neige et l'air qu'on respirait. Il s'était mis à tomber une bruine. Un temps de printemps. Il ne fallait pas se tromper: cela durerait deux jours tout au plus, puis le gel s'imposerait pour trois ou quatre autres mois.

Bruno tira sa pipe de sa poche. Ce n'était pas la première fois qu'il commençait sa journée en se mettant de la fumée dans le ventre. Au début, cela accroissait la sensation de vide, mais l'estomac finissait par se contracter et on pouvait filer un bon bout de chemin. Bruno n'avait pas le coeur à regarder ce que sa mère avait mis dans le panier de provisions. La figure de son père émergeait du gris, une grande face émaciée avec des yeux suppliants.

— C'est dur de se retenir pour pas mourir, disait le père.

— Je suis venu aussi vite que j'ai pu, répondait Bruno qui allait devoir vivre avec ce mensonge.

C'était l'année où Bruno était monté aux chantiers pour la première fois, à quinze ans. Il y avait appris bien d'autres choses qu'à manier la hache. Un de ses compagnons, nommé Vaugeois, avait une façon particulière de départager le bien du mal; c'était un homme deux fois plus grand que lui, carré comme une armoire et qui disait les choses avec la franchise des enfants. De la race des communistes, murmurait-on. Puis, on avait fait savoir à Bruno que ses parents réclamaient sa présence et sur le chemin du retour, bloqué par la tempête dans un hôtel de La Tuque, une femme aux lèvres très rouges lui avait ouvert les bras et tout le reste pour la première fois. Bruno avait mis deux fois plus de temps qu'il n'en fallait pour rentrer à la maison où son père l'attendait pour mourir, le fond des yeux vert et les os sortis de la peau. Et c'était pour lui léguer le canard de bois que Bruno avait toujours vu sur une tablette au mur de la cuisine que son père s'était retenu de mourir.

— Sous ses plumes de bois, coule le sang des Bellerose.

Le père était mort apparemment apaisé et le bonhomme Siméon était venu procéder à ce qu'on appelait la toilette du mort. Pour ce faire, il s'était enfermé dans la chambre et tous les enfants attendaient nerveusement à la porte, guettant quelque indice de ce qui pouvait s'y passer. La porte s'était ouverte brusquement et le bonhomme Siméon était apparu, tenant un seau à la main. Le premier regard qu'il croisa fut celui de Bruno.

— Tiens, petit gars, va jeter ça sur le tas de fumier.

Bruno s'en était allé derrière la grange, tenant à bout de bras le seau dans lequel bouillonnait le sang noir de son père. Il lui était venu, un instant, une pensée qu'il n'avait cessé de regretter par la suite: il s'était demandé si, avec ce sang, on n'aurait pas pu faire du boudin, comme avec celui des cochons.

Une fois la tombe au charnier, en attendant le dégel, la famille s'était réunie autour de la table de la cuisine et tous les regards avaient convergé vers Bruno. L'aîné portait la soutane de séminariste et enseignait déjà le latin aux basses classes, deux des filles arboraient la cornette des religieuses, un autre fils besognait autour du quai de la cathédrale, un troisième annonçait son départ prochain pour l'Ouest et les autres à l'avenant. Bruno était le plus jeune et c'était sur la sienne que sa mère avait mis sa main.

— Inquiétez-vous pas, avait-il déclaré, je m'occupe de tout, la terre et puis vous.

Mais la terre ne s'était pas montrée à la hauteur de sa générosité. Il fallait reconnaître que le père l'avait traitée chichement ces dernières années. Bruno s'était craché dans les mains, comme on dit, et il avait redressé les clôtures. Tout un été, les yeux brûlés de sueur. L'automne venu, il était apparu que Bruno n'aurait pas de quoi nourrir ses bêtes tout l'hiver. Et c'était pourquoi il traversait maintenant le fleuve par un mauvais matin de janvier, pour aller vendre aux Trois-Rivières les meubles qui ne leur étaient pas indispensables.

— Il faut sauver les animaux si on veut s'en tirer nous-mêmes.

La mère avait raison, mais Bruno avait tardé tant qu'il avait pu. C'était reconnaître son incapacité et on ne sait pas le faire à seize ans. Il lui avait fallu bien des heures, le front appuyé contre le flanc des vaches à l'étable, pour que la gravité de la situation s'impose. Maintenant, Bruno n'était même pas certain que le fruit de sa vente rapporterait assez d'argent pour nourrir son troupeau jusqu'à l'été.

L'attelage était arrivé au milieu du fleuve. Une épinette roussie, piquée de travers sur la neige, marquait l'endroit où il fallait bifurquer vers l'est. Le cheval peinait. La piste était détrempée comme au printemps. Pour peu, Bruno se serait attendu à entendre les premiers craillements des corneilles, mais on était au coeur de janvier et c'était un mois pourri comme on n'en avait jamais connu.

Le cheval se mit à lever haut les pattes et à renâcler tout en cherchant à tourner la tête vers Bruno. Celui-ci était debout. Le cheval ne voulait plus avancer. Bruno scruta le gris. Il y avait peut-être un peu de glace molle devant, mais Bruno savait que cela ne pouvait pas entraîner de conséquences graves en janvier. Même au printemps, une dalle de glace d'un mètre d'épaisseur subsiste longtemps sous la soupe qui se forme en surface. Bruno fouetta le cheval qui se mit à compter ses pattes en marchant. Dix autres pas puis il s'arrêta tout net. Accroché aux guides, Bruno vit sa bête s'enfoncer lentement, le train arrière en premier, entraînant le traîneau qui tangua d'abord puis se renversa silencieusement. Bruno sauta le plus loin qu'il pût. L'eau froide lui agrippa les jambes. Plus trace ni du cheval ni du traîneau. Bruno avait de l'eau jusqu'aux épaules. Son épais manteau s'imbibait. L'instant d'après, il se débattait contre la mort grise. Son bonnet flottait près de lui.

Bruno était allongé sur le ventre, soudé à la glace, le souffle écrasé sous lui, les mains déjà bleues. Le froid était en train de lui coudre son manteau au corps. Le coup qu'il venait de subir l'avait momentanément privé de raison. Il n'avait même plus la force d'avoir peur. Il resta là longtemps. Quand il voulut se relever, son manteau était une armure craquante de gel.

Il se redressa pourtant. Une dernière étincelle lui tenait le coeur en vie. Des poignards dans les jambes. Les premiers pas qu'il fit lui arrachèrent des gémissements. Il ne savait pas encore dans quelle direction il devait marcher.

Ses cheveux mouillés s'étaient figés dans la forme où l'eau les avait laissés; une frise de givre sur la tête. De minuscule glaçons lui pendaient des cils et des sourcils. Un filet de morve gelée au bout du nez.

Le Canada tout entier était sous l'empire d'une journée mal venue où le redoux de la lune de décembre s'était joué du calendrier; rien d'un jour habituel de janvier où le gel fend les bûches dans leur immobilité.

Bruno reprit peu à peu suffisamment de forces pour s'imposer de réfléchir. Il n'était pas au bout de ses peines. S'il ne parvenait pas rapidement à trouver un abri, il aurait survécu en vain à l'accident. Le froid ne le traiterait pas avec plus de ménagement que s'il avait été une souche. Une seule issue: marcher le plus vite qu'il pouvait. Mais où se diriger?

Il avait complètement perdu le sens de l'orientation. Le fleuve gelé était un désert étale. Il voyait bien monter au loin les fumées des maisons de la rive, mais il n'arrivait pas à savoir si elles étaient au nord ou au sud. Il finit cependant par retrouver la trace des traîneaux. Peut-être quelque voyageur viendrait-il à passer et le remmènerait-il chez lui? Il se faisait un important trafic en hiver entre Nicolet et les Trois-Rivières.

Il marcha longtemps sans s'en rendre compte. Chaque pas lui était douleur. Il avançait parce qu'il avait seize ans, qu'il était Bruno Bellerose et qu'il voulait vivre. Combien de temps?

Sa mère l'avait vu venir et elle courut dehors à sa rencontre, en souliers de maison et la tête nue. Elle se jeta sur lui et il serait tombé à la renverse, si elle ne l'avait retenu.

Elle ne savait que répéter une question dont elle connaissait trop bien la réponse.

— Que t'est-il arrivé?

Bruno se laissa entraîner à l'intérieur. Il ne fut pas facile de lui ôter son manteau. Debout devant le poêle, il grelottait. Sa mère le dévêtit entièrement, après quoi elle le frictionna avec de l'alcool, par tout le corps. Bruno regardait devant lui sans dire un mot.

Il reprit vie pour réapprendre la douleur. Le sang qui se frayait un passage dans ses artères et ses veines contractées les laçérait. Pendant une heure, il ne fut qu'une souffrance immobile. Sa mère lui mettait-elle la main sur le bras qu'elle lui arrachait un hurlement. Il ne voulut pas s'asseoir. Il resta là, les yeux sur le canard de bois sur la tablette du mur.

Il finit par trouver assez de force pour avaler un peu de thé chaud. L'estomac lui jouait du tambour dans la poitrine. Puis, le mal s'apaisa et une grande lassitude l'envahit.

Sa mère l'aida à monter à sa chambre. Le lit comme des bras tendus. Il s'y évanouit de fatigue. Il dormit tout le jour dans le silence de la maison inquiète. Quand il s'éveilla, il eut beaucoup de mal à reconnaître sa chambre. Il se redressa. Il entendait les pétillements du bois dans le poêle en bas. Les pas de sa mère sur le plancher de la cuisine. Ces bruits lui étaient insupportables.

Il se leva et ôta sa chemise de nuit pour enfiler des vêtements de tous les jours. Il trouva, au fond de son placard, le sac de toile de jute dans lequel il avait emporté ses affaires au chantier l'hiver précédent. Il y fourra rageusement tout ce qui lui tomba sous la main, chemise, chaussettes et mouchoirs.

Ses bottines de feutre étaient restées avec son linge mouillé en bas. Il enfila des bottes qu'il ne portait plus parce qu'elles lui faisaient mal aux pieds. Il alla dans la chambre de son frère séminariste et prit son manteau des gros travaux à l'étable. Il enfonça un bonnet de laine rouge sur sa tête et descendit à la cuisine, son sac à l'épaule.

Sa mère joignit les mains sur sa poitrine en l'apercevant.

— Où vas-tu Bruno?

Pas un mot. Il traversa la cuisine chaude en direction de la porte.

— Bruno?

Il tenait déjà le loquet dans sa main. Sa mère courut derrière lui.

— Où vas-tu?

— Je n'ai plus rien à faire ici, dit-il.

— Et moi, qu'est-ce que je vais devenir?

Bruno était déjà dehors.

Rang de l'Isle, à Nicolet, novembre 1982.

Table

Dans la collection «Boréal compact»

1. Louis Hémon, *Maria Chapdelaine*
2. Michel Jurdant, *Le défi écologiste*
3. Jacques Savoie, *Le Récif du Prince*
4. Jacques Bertin, *Félix Leclerc, le roi heureux*
5. Louise Dechêne, *Habitants et marchands de Montréal au XVII*^e^ *siècle*
6. Pierre Bourgault, *Écrits polémiques*
7. Gabrielle Roy, *La détresse et l'enchantement*
8. Gabrielle Roy, *De quoi t'ennuies-tu Évelyne?* suivi de *Ély! Ély! Ély!*
9. Jacques Godbout, *L'aquarium*
10. Jacques Godbout, *Le couteau sur la table*
11. Louis Caron, *Le canard de bois*
12. Louis Caron, *La corne de brume*